池上彰の「世界そこからですか!?」

Ikegami Akira

ニュースがわかる
戦争・国家の核心解説43

文藝春秋

池上彰の「世界そこからですか⁉」ニュースがわかる戦争・国家の核心解説43◉目次

第3章 「習近平の中国」そこからですか!?

第6章 「日本政治と経済の今」そこからですか!?

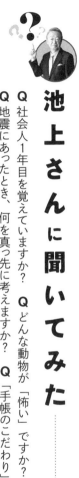

はじめに

この書名の「そこからですか⁉」とは、週刊文春に連載しているコラム「池上彰のそこからですか⁉」のタイトルから来ています。「そこからですか」とは、何のことか。これは、日々見聞きするニュースの意味を基礎から解説するという意味なのです。読んだ人が、「そこから解説するのか」と驚くほど基礎から始めましょうということなのです。

テレビのニュースにしても新聞記事にしても、さらにはネットの記事にしても、「何のことかわからない」というものが氾濫しています。なんとなくわかった気になって流しているけれど、いざ「これはどういう意味かわかるか」と問い詰められると答えられない。そんなニュースが多いですね。そこのところを解説すると、「そうだったのか！」と腑に落ちるだろうというわけです。

とりわけ去年からはロシアによるウクライナ軍事侵攻が、しばしばニュースになりました。でも、プーチン大統領は、なぜ暴挙に出たのか。「プーチン大統領はおかしくなってしまったのか」と思うかも知れませんが、それでは解説になりません。プーチン大統領には、彼なりの理由があるのです。彼の言動を肯定することはできませんが、それでも彼の内在的論理は知っておく必要があるでしょう。「内在的論理」とは、その人あるいはその国を突き動かす論理のことです。たとえそれが荒唐無稽でも、論理を知っておかなくては対処できません。ロシアの論理を理解する上では、最近はやりの「地政学」が役に立ちます。多くの領土が北極圏にあり、冬は凍結して利用できなくなる港湾ばかり。これでは閉塞感が高まります。不凍港を求めて南下しようとするロシア像が浮かび上がってきます。

かくしてウクライナ戦争をテーマにした項目が多くなったというわけです。

元になった原稿は毎週の連載ですから、ある程度経つと内容が古びてしまうことがあります。そこで、現在でも知っておいた方がいい内容のコラムを取捨選択。その後の動きを追加して仕上げました。

改めて読んでみると、理解しにくい国はロシアだけではないことがわかります。アメリカもそうなのですね。

なんでアメリカにはコロナ対策のワクチン接種を拒否する人が大勢いるのか。なんでいまさら人工妊娠中絶が最高裁で「憲法で保障された権利ではない」という判決になるのか。なんで共和党は選挙の投票方法を不便なものにするのか。考えてみると、アメリカは相当〝不思議〟な国なのですね。

でも、それを「不思議」で片づけてしまってはなりません。不思議な出来事の歴史と背景を知ることで、アメリカがらみのニュースがよりよく理解できるのです。

それは中国についても同じこと。習近平国家主席はなぜ台湾を欲しがるのか。それぞれの内在的論理を知ることで理解が進みます。

さらに中東問題の根源はどこにあるのか。イランの女性たちが髪を隠すことを強制されて、なぜ怒るのか。そんな基礎の基礎を知ってほしいと思って、毎週パソコンのキーボードを叩いています。

コラムで扱うテーマがすんなり決まればいいのですが、現実はそうはいきません。締め切りが迫ってきてもテーマが決まらない。そんな焦燥感に追い立てられるような日々を送っています。

コラムの連載では、週刊文春の池田誉氏に毎週お世話になっています。連載をまとめてこの形にするに当たっては、宇賀康之氏にお手数をおかけしました。感謝しています。

二〇二三年三月二一日

ジャーナリスト　池上　彰

第1章

「ウクライナ侵攻後の世界」そこからですか!?

1 「新しい冷戦」を考える

かつての東西冷戦と今回の違いとは?

アメリカと中国の間の貿易戦争や台湾をめぐる対立、ロシアによるウクライナ侵攻による米ロ対立など、このところの国際情勢について「新しい冷戦」という表現が出てくるようになりました。では、そもそも「冷戦」とは何だったのか。今回は、そこから考えていきましょう。

冷戦という言葉がしばしば使われるようになったのは、一九四七年にアメリカの政治評論家ウォルター・リップマンが出版した書籍『冷戦』がきっかけでした。

当時のアメリカとソ連(ソビエト社会主義共和国連邦)が、実際の戦争(熱戦)にはならないものの、厳しく対立している構図を、こう呼んだのです。

一九四五年に第二次世界大戦が終わり、やっと平和になると思ったら、別の〝戦争〟が始まってしまったというわけです。

「東西冷戦」とも呼びました。「東」とはソ連や東欧諸国、中国で、「西」とはアメリカや西欧諸国です。これは、ヨーロッパ中心の見方による呼び名です。

ただ、たしかにアメリカとソ連の直接的な戦争にはなりませんでしたが、その周辺では、朝鮮戦争やベトナム戦争、ソ連によるアフガニスタン侵攻など、両国の代理戦争は起きていたのです。

始まりは第二次世界大戦後。ソ連が戦争中にドイツから「解放」した東欧諸国を、次々に自国の言うことを聞く国にしていったのです。ソ連主導のもと、それぞれの国で共産党ないしは同様の政党が政権を掌握すると、国民の自由な言論を認めず、鎖国のような状態にしてしまいます。この状態を、イギリスのチャーチルは「鉄のカーテン」と呼びました。チャーチルはイギリスの首相として第二次大戦の指揮をとりましたが、戦争が終わると選挙で負けてしまい、アメリカでの演説旅行の最中での発言でした。

いったいソ連とは、どんな国なのか。アメリカの政界で不信感が広がっていた一九四六年、モスクワのアメリカ大使館に勤務していた代理大使のジョージ・ケナンがアメリカ国務省に長文の電報を送ります。

ソ連は極めて特異な国家で、勢力を世界に広げようと膨張戦略をとっている。これに対抗するためにはソ連を徹底的に封じ込めなければならない……。

この主張は、当時のトルーマン政権に受け入れられ、一九四七年、トルーマン大統領は連邦議会での特別教書演説で、ソ連を世界の中で孤立させて封じ込め、世界的な反共運動を支援していくことを宣言しました。これが「トルーマン・ドクトリン」です。「ドクトリン」とは「戦略」という意味です。

トルーマン・ドクトリンは、世界の状況を全体主義と自由主義との戦いと定義し、「自由主義国家」を支援し、「全体主義国家」の打倒を目指すというものでした。

しかし、これは表向きの話。実際には、親米国家であれば、独裁者が君臨する全体主義国家でも支援。アメリカの言うことを聞かない国であれば、転覆を画策しました。

イデオロギーの対立だった

その結果、腐敗しきった南ベトナム政府が国民の支持を失っていても、アメリカは大軍を送り込んで南ベトナム政府を支援。これに対しソ連は、南ベトナム国内で反政府闘争を続ける民族解放戦線を支援しました。

ベトナムにおいて、アメリカとソ連の代理戦争が繰り広げられたのです。結果はソ連側の勝ち。アメリカは多大な犠牲を出して撤退しました。

このアメリカが屈辱を晴らすのが、一九七九年、ソ連がアフガニスタンに軍事侵攻した際です。ソ連と国境を接した当時のアフガニスタンは、政権が不安定となり国内でイスラム勢力が伸長していました。これを脅威と考えたソ連軍が侵攻。大統領を殺害してソ連の言うことを聞く大統領にすげかえます。おそらく今回のウクライナ侵攻でも、ロシアのプーチン大統領は、ゼレンスキー大統領を亡き者にしてロシアの傀儡政権を立てる腹積もりだったのでしょう。
ソ連軍が侵攻してきたことにアフガニスタンのイスラム教徒たちは憤慨。「ジハード」(聖戦)に立ち上がります。彼らは「ムジャヒディン」(イスラム聖戦士)と呼ばれました。さらにサウジアラビアなど中東各地から若者たちが支援に駆け付けます。その後、アメリカに対するテロ攻撃をするオサマ・ビンラディンも、この中にいました。

実態は代理戦争

これを見たアメリカは、ムジャヒディンを軍事支援してソ連軍に打撃を与えようと考えます。アフガニスタンで、再び米ソの代理戦争が始まるのです。アメリカは、ソ連軍のヘリコプターを撃墜できるスティンガーミサイルを大量に供与します。

今回アメリカは、ウクライナに対しても、このスティンガーミサイルを大量に送っています。さらに当時はなかった対戦車ミサイル「ジャベリン」も送り、ロシア軍に大きな打撃を与えています。

どうですか、ウクライナは、まさにアメリカとロシアの代理戦争の様相を呈しているではありませんか。

アフガニスタンでは、ソ連軍は多大な犠牲を強いられ、撤退に追い込まれましたが、さて、今回はどうなのか。

当時の冷戦は、イデオロギーの対立であり、仲間の国を増やすという世界レベルの陣取り合戦でした。

それに対し、今回はイデオロギーの対立ではありません。ロシアのプーチン大統領は、かつてのロシア帝国の栄光を取り戻そうとしていますし、中国の習近平国家主席は、「一帯一路」を通して、明の時代の漢民族の帝国の復活を夢見ています。

イデオロギーではなく、仲間を増やすのでもなく、「失われた領土」を取り戻し、「栄光の帝国」の復興を目指す。これがロシアと中国であり、それを「現状を力で変えようとしている」と危機感を持ったアメリカが阻止に走り、代理戦争が起きている。これが、「新しい冷戦」と呼ばれる状況の実態なのです。

2 新たな「ワルシャワ条約機構」?

大規模同盟「上海協力機構」にロシアが寄せる期待

ワルシャワ条約機構といえば、東西冷戦の象徴のような組織です。一九五五年、NATO(北大西洋条約機構)に対抗して設立された、ソ連と東欧諸国の軍事同盟です。名前に「ワルシャワ」と入っているのは、ポーランドの首都ワルシャワで条約が結ばれたからで、本部はモスクワにありました。東西冷戦が終わって一九九一年に解散しましたが、一方のNATOは解散するどころか、一段と加盟国を増やして東方に勢力圏を伸ばしています。ウクライナもここに加盟しようとしたため、ロシアが軍事侵攻するきっかけとなりました。

ロシアの軍事侵攻に対して欧米諸国や日本は経済制裁を実施。「新しい冷戦」と呼ばれるような状態になっています。

こうした経済制裁に対抗し、新たな同盟を築こうとしたロシアが基盤として目を付けたのが「上海協力機構」です。二〇二二年九月一五日と一六日に中央アジアのウズベキスタンで首脳会議が開催されました。ロシアがウクライナに侵攻して以降初めて、プーチン人統領と中国の習近平主席が顔を合わせたことでニュースになりました。

ロシアは、この組織を現代版の「ワルシャワ条約機構」に仕立てあげようとしているように思えます。さらに「ユーラシア連合」の母体にしようとしているようにも見えます。そこで今回は、この組織について考えましょう。

組織名に「上海」と入っているのは、二〇〇一年六月に上海で設立されたためで、本部は北京にあります。

組織の前身は、一九九六年四月、中国とロシア、それに中央アジアのカザフスタン、キルギス、タジキスタンが集まってできた通称「上海ファイブ」です。ソ連が崩壊して新たに誕生した中央アジアの国々は、国内でイスラム過激派の活動が活発化したことに危機意識を持ち、中国とロシアを後ろ盾にしたいという狙いがありました。

一方、中国は石油や天然ガスの資源を安定的に確保するためにロシアや中央アジアとの関係強化を考えていました。

ロシアはロシアで、経済発展著しい中国への資源輸出を目論んでいました。

上海協力機構発足と共にウズベキスタンが加盟しますが、本格的に組織が拡大するきっかけは、二〇〇一年九月にアメリカで起きた同時多発テロでした。イスラム過激派によるアメリカでのテロ事件で、イスラム過激派の伸長に危機感を募らせていた周辺各国が次々に加盟しました。二〇一七年にはインドとパキスタンが加盟。計八カ国が正式加盟国ですが、これ以外にモンゴル、アフガニスタン、ベラルーシ、イランがオブザーバー参加しています。このうちイランは、まもなく正式加盟国に昇格します。

さらに、正式加盟国やオブザーバーよりは緩い関係として「対話パートナー」という資格ができ、スリランカ、トルコ、アルメニア、アゼルバイジャン、ネパール、カンボジアが加わりました。今後は、サウジアラビアとエジプト、カタールも参加する予定です。

上の白文字の８カ国が加盟する巨大同盟

欧米に対抗する「ユーラシア連合」へ

次々に参加国が増えて発展する上海協力機構。世界地図で確認すると、ロシア、中国はもちろん、ユーラシア大陸全体に広がる巨大な同盟になっていることがわかります。もともとは資源をめぐって集まった国々が基盤でしたが、テロ対策の軍事同盟としての性格を強め、加盟国による合同軍事演習を毎年のようにロシア国内などで実施するようになりました。ここまでくるとテロ対策というよりは、大規模な軍事同盟です。私が現代版「ワルシャワ条約機構」と言うのは、このこと。これからNATOに対抗するまでに強化されるかも知れません。

この組織は、二〇一七年には中国の進める「一帯一路」への支持を宣言します。加盟国の顔ぶれを見ると、中国の一帯一路のルートにあたる国々です。中国経済と一体になることで経済を発展させようとしていることがわかります。

一方、これまでのロシアは、ヨーロッパに天然ガスを売り、その代金で欧米から近代的な機械類やIT機器類を輸入。欧米との関係強化で国を発展させようとしてきましたが、ウクライナに軍事侵攻したことで、関係は途絶。それどころか経済制裁を受けてしまいました。こうなると、ロシアが頼りにできるのは中国であり、インドです。

インドは民主主義国として、中国包囲網である「クアッド」（アメリカ、日本、オーストラリア、インドの四カ国の同盟）に参加しながらも上海協力機構にも加盟し、ロシアから石油を輸入しています。日本やアメリカから見れば、「どっちを向いているんだ」と文句を言いたくもなりますが、ここはしたたかです。インドは東西冷戦時代、東西どちらの陣営にも参加せず、非同盟主義を掲げて当時のソ連とも良好な関係を築いていました。その伝統がいまも続いているのです。

また中国もロシアに対する経済制裁には加わらず、ロシアから大量の石油や天然ガスを買い付けています。

それはかりではありません。欧米諸国からハイテク製品を買えなくなったロシアは、中国からの輸入に頼るしかなくなりました。

さらに制裁でドルが入手困難になった結果、中国の人民元での取引に傾斜しています。石油や天然ガスを中国に輸出して人民元を得て、その人民元で中国製品を購入するというわけです。

アメリカとしては、ロシアへの制裁としてドルを使えなくしましたが、その結果、ロシアを人民元経済圏に追いやることになりました。

ロシアのプーチン大統領としては、ロシアはヨーロッパではなくユーラシア国家であるという思いが強くなっています。上海協力機構は、新たな軍事同盟として発展しつつ、広大なユーラシア経済圏を形成しつつあるのです。

3

フィンランドとスウェーデンの翻意

小国侵攻に見る欧州の〝デジャブ〟

ロシアのウクライナ侵攻は、プーチン大統領が、NATO（北大西洋条約機構）の東進を阻止しようと始めたものですが、まさかのオウンゴールになりました。これまで敢えてNATOに加盟しようとしなかった北欧のフィンランドとスウェーデンが、ロシアの脅威を見て、NATO入りの意向を示すようになったからです。NATO拡大を阻止するつもりが、かえって拡大を促すことになりそうなのです。

ロシアの西隣のフィンランドは、ロシアと約一三〇〇キロも国境を接しています。それなのに、なぜこれまでNATOに加盟してこなかったのか。それは、過去にソ連の侵略を受けたことがあり、敢えてソ連やロシアを刺激しないようにしてきたからなのです。

ここでヨーロッパの歴史を振り返ってみましょう。時は一九三九年一〇月のこと。ソ連の独裁者スターリンは、ナチス・ドイツの侵略を警戒し、西の守りを強化するため、フィンランドに対して「領土の交換」を持ちかけます。

当時のフィンランドとの国境は、ソ連にとって「革命の聖地」だったレニングラード（現在のサンクトペテルブルク）に近過ぎるという危機意識があったのです。このあたりの恐怖感というのは、私たちには想像し難いのですが、ロシアは過去にナポレオンの侵略を受けたことがあります。また一九一七年のロシア革命後、近隣の資本主義諸国が革命つぶしのために軍隊を送り込んだことも忘れてはいませんでした。当時は日本も「シベリア出兵」をしたほどですから。

ソ連の「領土の交換」要求は、ソ連とフィンランドとの間にあるレニングラード湾（フィンランド湾）にある四つの島やフィンランド領のカレリア地方をソ連に引き渡すこと。

カレリア地方にフィンランド軍が設置した防衛施設を撤去すること。フィンランド西部でソ連にとっても湾の入り口に位置するハンコ半島を三〇年間ソ連に貸し出し、ここにソ連海軍の基地の設置と約五〇〇〇人のソ連軍兵士の駐留を認めること。

さらに、駐留ソ連軍兵士の交代のためにフィンランド領内を鉄道で移動する通行権を認めよ、というものでした。

その代わり、フィンランドとの間で係争地帯になっていた東カレリアをフィンランドに与えるというものです。

ソ連がフィンランドに与えると持ちかけた場所は、実はほとんど人が住んでいない不毛の地。一方で、ソ連が要求した場所は、得ればソ連海軍が湾を自由に行き来する上で極めて有利になります。

あまりに勝手なソ連の要求に対し、フィンランドは、これを拒否します。一九三九年一一月一三日のことでした。

すると、その約二週間後の一一月二六日、「カレリア地方のソ連領にフィンランド側から砲撃があり、ソ連軍兵士一三人が死傷した」とソ連が発表。ソ連はフィンランドとの国交断絶を発表し、同月三〇日、ソ連軍がフィンランドに全面侵攻します。

「偽旗作戦」だった

この砲撃は、ソ連軍の自作自演だったことが、ソ連崩壊後、明らかになっています。どうですか、このソ連の手法。ロシアがウクライナに侵攻する前、アメリカは「ロシアがウクライナからの攻撃があったという偽旗作戦で侵攻を計画している」と発表し、ロシア侵攻を牽制しました。ロシア軍の偽旗作戦は、ソ連時代からの〝伝統〟だったのですね。

ソ連軍が侵攻すると、ソ連軍に占領された国境の町で、「フィンランド民主共和国」の樹立が宣言されます。ソ連は、これがフィンランド人民を代表する唯一の正当な政権だと宣言します。

これもまた、デジャブ（既視感）ありあり、ですね。ウクライナ東部に親ロシア派武装勢力によって「独立国」の樹立が宣言され、この「独立国」を守るためにロシア軍が全面侵攻した有様を想起させます。

今回、ロシア軍がウクライナ軍の頑強な抵抗に直面してキーウ攻略を断念したように、当時のソ連軍も、フィンランド軍の抵抗・反撃の前に苦戦しました。ソ連はフィンランド軍の力を軽視していたのです。フィンランド軍にとって自国を守る正義の戦いですから、士気は高く、土地勘を有するフィンランド軍は優位に戦いを進めたのです。

このためソ連軍は、いったん攻撃を中止。攻撃作戦の指揮を執っていた司令官は罷免され、新しい司令官のもとで作戦計画が練り直されます。

今回のウクライナ侵攻でも、途中からロシア軍の総司令官が新たに任命されましたね。

1940年のフィンランドは国土の10%をソ連に割譲した

ソ連の一方的な侵略に対し、国際世論は

フィンランドに同情します。フィンランドの提訴を受けて、侵攻の翌月、国際連盟はソ連を連盟から追放しました。

隣国スウェーデンは軍事物資や資金をフィンランドに送り、世界各地から多数の義勇兵がフィンランドに入りました。

いったんは苦杯をなめたソ連ですが、スターリンは再度の攻撃を命令。翌四〇年二月、ソ連軍は再び大損害を出しながらもフィンランドに侵攻します。このままでは独立を維持することも難しくなると考えたフィンランドは、三月になってソ連と停戦。結局、国土の約一〇％をソ連に割譲するという屈辱的な条件で戦争を終えました。

当時、世界は巨大な軍を有するソ連軍は小国フィンランドを一挙に降伏させるだろうと見ていたのですが、実際にはフィンランド軍の死に物狂いの抵抗で、苦戦を強いられました。

これを見ていたドイツのヒトラーは、ソ連軍が見掛け倒しで弱体であると考え、ソ連侵攻を決断したとされています。

これ以降、フィンランドは、ＮＡＴＯに加盟せず、ソ連に敵対しない姿勢を示すことで自国の安全を確保してきたのですが、政策変更です。

プーチン大統領が、この戦争から教訓を得ていれば、こんな大失敗をしないで済んだはずなのですが。

4

EUにもNATOにも困った国が

〝獅子身中の虫〟トルコとハンガリーの思惑

ロシアのウクライナ侵攻を受けて、北欧のフィンランドとスウェーデンが「中立政策」を放棄してNATO(北大西洋条約機構)に加盟を申し込みました。ロシアの脅威から自国を守るには、集団安全保障体制の中に入ることが必要だと判断したのです。

フィンランドは、前に取り上げたように第二次世界大戦時に当時のソ連軍の侵略を受けています。軍事力で劣るフィンランドは、多大な犠牲を出しながらも頑強に抵抗。なんとか独立を維持しましたが、領土の一割をソ連に割譲するという屈辱の結果になりました。

これ以降、フィンランドは「ソ連には脅威を与えません」という方針を取り、自国として軍隊は維持するけれど、NATOには加盟しないことで、ソ連、その後のロシアからの脅威を防いできました。

一方、スウェーデンも、「中立政策」を取ってきました。現在の地図を見ると、スウェーデンとロシアの間にはバルト三国があり、直接の脅威は少ないように思えてしまうかもしれませんが、かつてソ連時代、バルト三国もソ連の一部でした。つまり内海を挟んで目と鼻の先にソ連があったのです。

さらにバルト三国がソ連から独立しても、リトアニアの南にカリーニングラードというロシアの飛び地が残りました。ここにはロシア海軍基地があります。ロシアはいつでもスウェーデンを攻撃できる位置にいるのです。

過去にはフィンランドもスウェーデンも、ＮＡＴＯ加盟の是非をめぐって世論が分裂し、現状維持が続いてきました。しかし、ウクライナの苦境を見て、「ロシアを信用するわけにはいかない」という世論が盛り上がったのです。

加盟すると、ＮＡＴＯへの新規加盟は二〇二〇年三月の北マケドニア以来になります。加盟国数は三〇から三二に増えます。

ところで北マケドニア加盟をめぐっては、隣国ギリシャが反対し、すんなりと加盟が認められたわけではありません。というのも、北マケドニアは、そもそも旧ユーゴスラビアを構成していたマケドニア共和国で、ユーゴスラビア崩壊によって独立しました。その時点で「マケドニア共和国」という国名にしたのですが、これにギリシャが反発します。「マケドニア」とは、かつてアレクサンドロス大王が築いた由緒ある王国の名前であり、ギリシャのルーツだ、というわけです。

ＮＡＴＯの決定は全会一致が原則。加盟国のうち一カ国でも反対すると、新規加盟が認められません。NATOに入れなくなったマケドニアは、議会を通じた憲法改正を経て、国名を北マケドニアに変更。ようやく加盟が認められたのです。

さて今回はどうか。NATOの国々はフィンランドやスウェーデンの危機感に共感を抱き、加盟申請はすぐに認められる……と思いきや、中東トルコのエルドアン大統領が難色を示したのです。

トルコ政府が、なぜ難色を示したのか。公式には二つの理由を挙げています。

トルコは「条件闘争」か

一つは、トルコがテロ組織として掃討作戦を展開している反体制組織「クルディスタン労働者党(PKK)」のメンバーを両国が保護していることです。トルコ国内では「国家を持たない民族」と呼ばれるクルド人たちが独立運動を展開しています。ト

カリーニングラードと北マケドニアを巡る思惑

ルコ政府は、この運動を認めずに弾圧。弾圧を逃れて国外に出たクルド人を両国が難民として受け入れていることが、エルドアン大統領としては「テロリストを支援している」ことになるというわけです。

二つ目は、トルコがシリア国内にいるクルド人を一掃しようと二〇一九年にシリアに侵攻したことに対し、両国がトルコへの武器輸出を禁止する経済制裁に加わったことです。エルドアン大統領としては、自国に経済制裁する国を加盟国として受け入れるわけにはいかないからです。

これが表向きの反対の理由ですが、トルコはロシアとの経済的結びつきが強い国です。トルコは国内で消費する天然ガスの約四割をロシアに頼っています。また、ロシア人はビザなしでトルコに入国できるので、多数のロシア人が観光でやってきています。

こうした密接な関係がある以上、いずれ来る「ポスト・ウクライナ戦争」の時代を乗り切るためには、ロシアに敵対するのは得策ではないためです。

とはいえ、トルコとしても、二カ国の加盟に難色を示すことで、自国に有利な条件に持っていこうとしているとの見方がもっぱらです。結局は二〇二三年四月、フィンランドだけ加盟が認められました。これによりNATO加盟国は三一に増えました。

これでNATO加盟問題は解決の可能性がありますが、一方でEU（欧州連合）の団結にヒビを入れている国があります。それがハンガリーです。

ＥＵはロシアに対する経済制裁を実施していますが、「穴だらけ」と言われるレベルにとどまっているため、ロシア産原油の全面禁輸を検討しようとしています。

さらにＥＵは、ＳＷＩＦＴ（国際銀行間通信協会）からロシアの銀行を排除する経済制裁を実施しています。ここから排除されると海外送金が不可能になります。ところが、この中にロシアの最大手の銀行などは含まれていないのです。いまもロシア産原油を輸入している国は、ロシア最大手の銀行を使っているので、排除していないのです。

さすがにこれでは経済制裁にならないという批判を受け、ＥＵとしてまとまって行動しようとしたところ、ハンガリーが待ったをかけたのです。原油の輸入の四割超をロシア産に頼っているため、ロシアに強く出られないのです。

結局、トルコもハンガリーも、ヨーロッパの団結にヒビを入れる〝獅子身中の虫〟。プーチンの嘲笑が見えるようです。

5 地政学がわかるトルコの振舞い

地理的立場を生かすエルドアン大統領の〝狡猾〟

地政学という言葉をよく見聞きするようになりました。「地理」と「政治」を合体させた用語で、その国が位置する地理的立場によって国際情勢を分析する学問です。今回のロシアによる軍事侵攻を見ても、ロシアと国境を接していたり、近隣に位置したり、条件によって、その国の方針が大きく異なっています。

こうした地理的立場を有効に使っているのがトルコです。トルコはアジアとヨーロッパの境に位置し、黒海に入るにはトルコのボスポラス海峡などを通過しなければなりません。黒海の北部に位置するのがロシアとウクライナですから、トルコは、その地理的立場を生かして両国の停戦仲介役に名乗り出ています。

トルコは、そもそもはソ連の存在を脅威に感じ、NATO（北大西洋条約機構）が成立した三年後の一九五二年から加盟しています。一時はアメリカがソ連の首都モスクワに届く核ミサイルを配備していたこともあります。一九六二年、ソ連がキューバに核ミサイルを配備しようとしていることを知ったアメリカのケネディ大統領がキューバを海上封鎖し、ミサイルを撤去させる「キューバ危機」が起こりました。このとき実はアメリカはトルコに配備していた核ミサイルを撤去することと引き換えにキューバのミサイルを撤去させていました。

ソ連が崩壊してロシアが成立してもトルコはロシアへの警戒感を持ち続けます。二〇一五年一一月にはトルコ軍の戦闘機が、ロシア軍の戦闘機を領空侵犯したとして撃墜。乗員二人はパラシュートで脱出しましたが、トルコ国境近くのシリア国内に降り、一人はシリアの反政府武装勢力によって殺害されています。

しかし、両国の関係は、翌年の二〇一六年七月、トルコのエルドアン大統領に対する軍のクーデター計画が未遂に終わってから改善されます。何があったのか。イランの政府系通信社ファルス通信は当時、「クーデター計画をロシアが事前に察知し、エルドアン大統領に伝えていた」と報じています。

この報道をロシアもトルコも認めていませんが、エルドアン大統領がなぜ直前にクーデター計画を知ることができたかの説明にはなっています。もしこれが事実なら、エルドアン大統領としてはプーチン大統領に恩義を感じているはずです。ロシアのウクライナ侵攻に対してNATO加盟国ながら経済制裁に踏み切っていない理由も理解できます。

さらに二〇一九年にトルコがロシアのミサイルシステムS400を購入した理由も説明が可能です。本来NATOの仮想敵国であるロシアのミサイルを購入するなど、NATO諸国からすれば言語道断。アメリカはその制裁としてアメリカ製の戦闘機を売らないと通告していますが、トルコとしてはロシアへの恩返しなのでしょう。

トルコはロシア国民に対して観光ビザを免除し、大勢のロシア人がトルコを訪問しています。トルコにとってロシア人観光客は貴重な外貨収入源。ロシアを怒らせたくないのです。

北欧二カ国に嫌がらせ

しかも黒海の入り口（出口でもあるが）のボスポラス海峡など二つの海峡に関しては、「モントルー条約」によって、軍艦の通行を禁止する権限がトルコに与えられています。ロシア海軍の活動を制限することが可能なのです。

そのトルコにとって、絶好のチャンスとなったのが、北欧のフィンランドとスウェーデンがNATOに出した加盟申請です。両国ともロシアの脅威を感じ、NATOに入りたいのですが、NATO加盟は加盟国三〇カ国の全会一致でないと承認されません。つまりトルコがNOと言ったら入れないのです。

実はトルコのエルドアン大統領は、トルコ国内で活動しているクルド人の武装組織PKK（クルディスタン労働者党）などを「テロ組織」と言って攻撃を続けています。

クルド人は、もともとオスマン帝国時代に「クルディスタン」（クルド人の土地）と呼ばれる地域に住んでいましたが、第一次世界大戦でオスマン帝国が敗北して崩壊すると、周辺の国々に分割され、トルコ国内で少数民族となってしまいました。それぞれの国に分割されたクルド人たちは、「自分たちの国家を作りたい」と独立運動をしています。ところが、トルコ政府は長らくクルド人の存在を認めず、独立運動をする勢力を国家の分裂を図るテロ組織と敵視してきました。

トルコ国内で弾圧されたクルド人の一部は、フィンランドやスウェーデンに逃れています。難民申請。国内に留まることが認められています。エルドアン大統領は、これが気に食わず、両国に対して「テロリスト」の引き渡しを求めていますが、両国とも要求を拒否してきました。エルドアン大統領としては、「NATOに入るのを認めてほしければ、クルド人を引き渡せ」というわけです。

ポジションを利して、少しでも多くの国益を

さらにエルドアン大統領は、シリア北部

を実効支配しているクルド人武装勢力（人民防衛隊）への攻撃を計画していることを明らかにしています。実はアメリカはオバマ政権のときに、シリア国内にいたイスラム過激派組織ＩＳ（イスラム国）を撃退するために人民防衛隊に全面的に頼ってきました。そんな人たちをトルコが攻撃することに、本来はアメリカが反発するはずですが、北欧二カ国のＮＡＴＯ加盟を認めてもらうために口をつぐんでいます。

また、もしトルコがシリア国内のクルド人を攻撃すれば、シリアのアサド政権にとっては主権の侵害になりますから、猛反発が予想されます。ところが、アサド政権の後ろ盾になっているのがロシアです。エルドアン大統領としては、「ロシアに敵対しないでおいてやるから越境攻撃を黙認しろ」と言うことができるだろうというわけです。

ＮＡＴＯの決定は加盟国の全会一致。そんな民主的なルールを狡猾に使っているのがトルコなのです。

6

ウクライナはロシアのスパイだらけ

戦争報道の正しい受け止め方は?

二〇二二年二月、ロシア軍がウクライナに本当に侵攻したときには、多くの人が驚き、ロシアに対する怒りを抱きました。このとき「ウクライナ軍が善戦」というニュースが入ってくると、私たちはこれを〝嬉しいニュース〟として受け止めていなかったでしょうか。

当時はウクライナ軍に配備された対戦車ミサイル「ジャベリン」が大戦果を上げていると報じられました。あるいは、「ロシア軍の戦車は設計に欠陥があり、攻撃を受けると、砲塔が簡単に吹き飛んでしまう」という解説が流れたりしました。

ここには「強大なロシア軍に健闘する弱小ウクライナ軍」というイメージが投影されていたように思えます。でも、冷静に考えてみてください。ロシア軍は、極めて旧式な戦車まで含めると、実に二万両を所有しています。一基が一〇〇〇万円以上するジャベリンで戦車を破壊していったとしても、どれだけロシア軍の戦力を減らすことができたのでしょうか。

また、「ロシア軍の戦車は設計に欠陥がある」と言っても、多くは旧ソ連時代に設計・製造されたもの。これはウクライナ軍の戦車も事情は同じということです。ウクライナ軍の戦車の砲塔も、簡単に吹き飛んでいるのです。戦車の数に圧倒的な差があるまま長期戦になったら、ウクライナ軍は戦車不足に陥ってしまいます。いや、既にその兆候が見られるので、欧米諸国に戦車の供与を頼み込んでいるのです。

こうしたニュースの偏りの背景には、侵攻当初、ウクライナ軍がロシア軍の被害を大々的に発表していたことがあります。判官びいきの私たちは、ウクライナ軍の発表する〝戦果〟に拍手喝采をするほどでした。

ところが、このウクライナ軍の手法にアメリカは不満を募らせます。「ウクライナ軍がどれだけ被害を出しているかも正直に発表しないと、戦況が正しく把握できない」というわけです。

この結果、二〇二二年六月に入ると、ゼレンスキー大統領は、ウクライナ軍の兵士が「毎日一〇〇人の死者を出している」と苦戦していることを認めました。これは大変な数字です。これだとひと月あたり三〇〇〇人、侵攻開始から一万人を大きく超える犠牲者が出ている計算になるからです。まさに消耗戦です。これを「善戦」と呼べるのか、どうか。

こうなると、世間の風向きは変わります。ウクライナ軍が苦戦しているニュースなど見聞きしたくないではありませんか。かくして二〇二二年の夏になるとウクライナのニュースが減って来たという事情もあるようです。

ロシア軍がウクライナ東部のルハンシク州を制圧した際、州知事は、「今後ロシア軍に対してより防御しやすい場所に軍を移動する」という趣旨の発表をしましたが、これって現代の「転進」ではありませんか。

内憂外患は増すばかり

「敗北」を認めない表現に注意を

「転進」と言っても、理解できない若い人も多いことでしょう。これは太平洋戦争中に日本軍が敗走あるいは撤退する際に使った言葉です。「そこでの任務が終了したから別の場所に移動する」とごまかすときに使う表現だったのです。

当時の日本の新聞は自由な報道が認められませんでしたから、戦果を告げる「大本営」の発表をそのまま伝えるしかなかったのです。

しかし、ウクライナ軍の発表をそのまま伝えるだけでは、報道の意味がないではありませんか。
そして、七月には衝撃的なニュースが飛び込んできました。七月一八日の夜に配信された読売新聞オンラインの記事の一部です。
〈ゼレンスキー氏、側近の検事総長と情報機関長官を解任…職員60人超がロシアに協力か
ウクライナのウォロディミル・ゼレンスキー大統領は17日、イリーナ・ベネディクトワ検事総長と情報機関「保安局」のイワン・バカノウ長官を解任した。両氏が管轄する機関で、計60人以上の職員が、ウクライナに侵略するロシアに協力した疑いがあり、責任を取らせたものだ。解任した2人はいずれもゼレンスキー氏の側近で政権運営には痛手となる。
ゼレンスキー氏は17日、国民向けのビデオ演説で、「国家反逆」などの疑いで、650件超の捜査が進められていると説明した。露軍に制圧された地域で、職員らが「我々の国に反抗している」とも述べた。露軍や親露派の指示に従うなどしたものとみられる〉
保安局とはウクライナの情報機関。ソ連時代にはKGBでした。一方、ロシアの情報機関のFSBも、もともとはソ連のKGB。いわば仲間同士です。そうなれば、つい情報を漏らしたり、相手の要求を受け入れたりしがちです。
でも、そんな危険は前から承知のはず。それが、いまになって「捜査が進められている」と認めることは、相当深刻な事態が進んでいることを示唆しています。ロシア軍の侵攻に対して有効な手を打てないまま、ジワジワと押されている。それを「裏切り者」のせいにしているよ

うにも見えます。

〈5月末には東部ハルキウ州を担当する保安局の幹部も、侵略の対応を巡る「職務怠慢」を理由に解任された。露軍の激しい攻撃が続く東部や南部では、露軍の攻撃の標的選定に情報を与えているなどとして、ウクライナ当局が住民らを拘束する事案も相次いでいる〉(同前)

遂に自国民の拘束も始まっています。ウクライナ政府の焦りが見えます。ウクライナを支援したくなる気持ちはよくわかりますが、それと戦況の判断とは別次元。事実は事実として受け止める冷静さが求められているのです。とりわけプロの報道機関の人間は。

7 プーチンの焦りと怒り

クレムリン演説に表れた〝むき出しの本心〟

二〇二二年九月、ロシアがウクライナの四州を併合しました。国際社会に認められるはずがない暴挙です。ウクライナ軍の反撃でロシア軍が追い詰められていることに対してのプーチン大統領の焦りが見えます。

では、いまプーチン大統領は、何を考えているのでしょうか。九月三〇日、プーチン大統領は併合を発表する際にクレムリンで演説しました。このときに日本のテレビ各局は、演説のごく一部分を紹介しただけですので、大統領の心のうちは、なかなかわかりません。そこで今回は、演説を読み解いてみましょう。大統領の怒りと決意が見えてきます。

ここで引用する演説文は、ロシア大統領府のウェブサイトに掲載されたロシア語の文章を、最近注目されている翻訳ソフトDeepLで日本語に翻訳したものです。日本語として若干不自然な部分は、私の責任で修正して掲載します。

まずプーチン大統領は、今回の併合が国連憲章に基づいているのだと強弁します。四つの州の人々がロシアに加盟するのは「もちろん彼らの権利であり、国連憲章の第1条に謳われている、民族の平等な権利と自決の原則を直接語る、彼らの譲ることのできない権利なのだ」

あれ、そんなこと国連憲章第1条に書かれているのでしょうか。

「第1条の2　人民の同権及び自決の原則の尊重に基礎をおく諸国間の友好関係を発展させること並びに世界平和を強化するために他の適当な措置をとること」(国際連合広報センター訳)

どうも、この条文を根拠にしているようなのです。でも、同じ国連憲章の第2条には、次の文章が出ています。

「3　すべての加盟国は、その国際紛争を平和的手段によって国際の平和及び安全並びに正義を危くしないように解決しなければならない。

4　すべての加盟国は、その国際関係において、武力による威嚇又は武力の行使を、いかなる国の領土保全又は政治的独立に対するものも、また、国際連合の目的と両立しない他のいかなる方法によるものも慎まなければならない」(同前)

今回のロシアの行為は、国連憲章第2条に明らかに反するものです。それなのに第1条に適合しているという理屈をつけているのです。この後プーチン大統領は、この地域についてのロシアの歴史を語ります。

「我々の祖先、すなわち古代ロシアの起源から何世紀にもわたってロシアを建設し守ってきた人々の世代が勝利を収めてきたのである。ここノヴォロシアでは、ルミャンツェフ、スヴォーロフ、ウシャコフが戦い、エカテリーナ二世とポチョムキンが新しい都市を築いた。私たちの祖父や曽祖父は、大祖国戦争中、ここで死闘を繰り広げたのだ」

日本ではあまり知られていない名前が列挙されていますが、ロシア帝国の英雄たちです。エカテリーナ二世は知られている名前ですね。彼女はロシアを強大な帝国にした女帝で、彼女が確保した領域は「ノヴォロシア」（新しいロシア）と呼ばれています。

「西側諸国」との戦争を決意

ノヴォロシアとは、今回ロシアが併合した地域を含み、さらに北部に広がる地域です。敢えてノヴォロシアという名称を出したということは、先祖が確保した土地は、我々のものだというむき出しの領土欲です。

「ソ連はなくなってしまった。過去は取り戻せない。そして、今日のロシアはそれを必要としないし、私たちはそれを目指していない。しかし、文化、信仰、伝統、言語によって自分たちをロシアの一部と考え、何世紀にもわたって一つの国家で暮らしてきた祖先を持つ何百万人もの人々の決意ほど強いものはない。この人たちの、本当の歴史的な故郷に帰ろうという決意ほど強いものはない」

「ソ連が崩壊した後、西側諸国は、世界は、私たちは永遠に自分たちの命令に我慢しなければならないと決めたのだ。一九九一年当時、西側諸国はロシアがこの混乱から立ち直ることはできず、自ら崩壊していくだろうと考えていた。私たちは九〇年代を覚えている。飢えと寒さと絶望に満ちた、恐ろしい九〇年代を。しかし、ロシアは持ちこたえ、復活し、強化され、世界における正当な地位を取り戻した」

ソ連崩壊後の西側諸国の振舞いに対する怨念が感じられます。プーチンは、傲慢な西側諸国に〝宣戦布告〟をしているようなものなのです。

「世界征服の主張は、過去、わが国民の勇気と不屈の精神によって何度も粉砕されてきたことを思い起こしたい。ロシアはいつまでもロシアである。私たちは、これからも自分たちの価値観と母国を守り続ける」

ロシアを守りたいという気持ちは尊重しますが、ウクライナも含めないでほしいと言いたくなります。

「欧米のエリートたちが、何世紀にもわ

エカテリーナ2世もついている？

たってロシア恐怖症に陥り、怒りを露わにしてきたのは、まさに植民地支配の際に、ロシアが自らを奪われることなく、ヨーロッパ人たちに相互利益のための貿易を強いたからだということを強調したいのである」

「欧米諸国は何世紀にもわたって、自分たちは他国に自由と民主主義をもたらすと言い続けてきた。しかし実際は民主主義の代わりに抑圧と搾取、自由の代わりに奴隷と暴力である。一極集中の世界秩序全体は、本質的に反民主的で自由がなく、徹頭徹尾嘘であり偽善者である。アメリカは世界で唯一、核兵器を二回使用し、日本の広島と長崎を壊滅させた国である」

「アメリカはロシアの核の脅しを批判できるのか」という反論です。

「偉大な歴史的ロシアのために、未来の世代のために、私たちの子供たち、孫たち、ひ孫たちのために。私たちは彼らを奴隷化から、彼らの心と魂を麻痺させようとする恐ろしい実験から守らなければならない」

いまの戦いを「ロシアの魂を守る戦い」だと言っているのです。これでは戦争はすぐには終わりません。

8

〝管理された〟ウクライナ戦争

「衝撃」に隠されたアメリカの狙いとは?

自国が他国から軍事攻撃を受けたら、反撃のために相手国を攻撃する。当然の権利であるはずなのに、これまでウクライナにはそれが認められなかった。そんな不条理に耐えかねたのか、遂にウクライナがロシアの内陸にある基地への攻撃を始めました。

二〇二二年一二月五日、ロシアの首都モスクワの南東約二〇〇キロに位置するリャザン州の空軍基地とロシア南部サラトフ州の空軍基地で爆発が起きました。ロシア国防省は、「ウクライナ軍のドローンによる攻撃を受けた」と発表しましたが、爆発には触れていません。その代わり、サラトフ州の基地では「ウクライナ軍のドローンを撃墜した際、落下した破片で軍用機の表面に傷がついた」と説明しています。

この説明では、損害が極めて軽微なように思えますが、いまは宇宙からすぐに確認できる時代。イスラエルの民間会社の衛星写真によると、ロシア空軍の戦略爆撃機が大きな損傷を受けています。それを「表面に傷がついた」と発表するところに、ロシアが受けた衝撃がわかります。

　損傷を受けた戦略爆撃機は核兵器搭載可能で、これまでウクライナから遠く離れたロシア南部やカスピ海上空からウクライナに向けて長距離ミサイルを発射してきました。ウクライナを攻撃する場合、ウクライナ上空に侵入してミサイルを発射した方が狙いが正確になりますが、それではウクライナ軍の迎撃を受ける恐れがあります。そこで目標から一〇〇〇キロも離れた場所の上空からミサイルを発射してきたのです。

　攻撃を受けた場所を地図で見ると、リャザン州はウクライナの最前線から約五〇〇キロ離れています。さらにサラトフ州に至っては、約七〇〇キロも離れているのです。リャザン州からモスクワまでの距離は二〇〇キロ程度ですから、ウクライナ軍がその気になれば、モスクワも攻撃可能であることを意味します。

　また六日には、ウクライナと国境を接するクルスク州の飛行場が攻撃を受け、燃料貯蔵施設が炎上しています。

　今回の攻撃についてウクライナ政府の正式な発表はありませんが、アメリカの「ニューヨーク・タイムズ」によると、ドローンはウクライナ領内から離陸して、ロシア国内に潜入していたウクライナ軍の特殊部隊の誘導によって標的を破壊したというのです。

　これはそうでしょうね。ウクライナを攻撃している爆撃機がどこを拠点にどれだけ駐機しているかは、近くから確認した方が正確です。ロシア国内の各所にウクライナ軍の特殊部隊が潜入していることの証明のようなものです。ロシアにとっては嫌でしょう。

今回明らかになったことは、ウクライナ軍が独自に長距離攻撃できる武器を持っているということです。これまでアメリカは、ウクライナに大量の兵器を送ってきましたが、いずれもロシア国内に届かないレベルの兵器でした。もしロシア国内を攻撃するのに使われた場合、ロシアを怒らせてしまうからです。

ある程度の武器は渡すが

今回、ロシアの空軍基地が攻撃を受けたことについて、アメリカのブリンケン国務長官は、「我々はウクライナがロシア国内に攻撃するよう促していないし、それを可能にさせてもいない」と述べました。アメリカはウクライナにロシアを攻撃するように仕向けてはいないという弁明です。今回の攻撃にアメリカも衝撃を受けているよう

背後で操る者の次なる「一手」は?

に見えます。

でも、このアメリカの発言は、ウクライナがロシアの攻撃に抵抗できる程度の武器は渡すが、ロシアを敗北させてしまってはいけないと言っているようなものではありませんか。ロシアが勝たないように、ウクライナも勝たないように。これではいつまで経っても戦争は終わりません。

それでも、これが長引けば、やがてロシアは他国を侵略する力を失ってしまう。これがアメリカの狙いでしょう。まさに〝管理された戦争〟です。

しかし、ロシアの攻撃を受けているウクライナはたまりません。そこで、アメリカから供与を受けた兵器ではなく、独自開発の兵器を使えばロシアを攻撃してもいいだろうと考えたのでしょう。

これまでウクライナ軍が戦闘で使ってきたドローンは、トルコ製です。航続距離は約一五〇キロと言われてきましたから、これではロシア内陸部まで届きません。

ウクライナの国営兵器輸出企業は攻撃前日、最大航続距離が一〇〇〇キロの攻撃型無人機の開発が最終段階にあることを明らかにしています。それを早速使用した可能性があります。実戦で実験したようなものですから、性能が確認できたのでしょう。

これまでロシアはクリミア半島や黒海に展開する戦艦がウクライナ軍の攻撃を受けたことがありますが、いずれもロシア本土から離れたところ。今回の攻撃は、とりあえず三回でしたが、長距離を飛ぶことのできる無人機があり、国内にウクライナの特殊部隊が潜伏していれば、今後ロシアはもっと多大な被害を受ける恐れがあります。

被害を軽減するためには、空軍基地に軍用機を並んで駐機させておくようなことをしているわけにはいきません。これ以降、ロシア軍は、爆撃機を各地に分散させたり、遠く離れた極東などに展開させたりしています。

問題は、これからです。首都モスクワも危ないとなれば、プーチン大統領の怒りと焦りはどれほどのものか。ロシア大統領府は六日、安全保障会議を招集しました。今後の対策を話し合ったようです。

面子を潰されたプーチン大統領の怒りは、その後、ウクライナに対する報復攻撃となりました。多数のミサイルがウクライナ各地に着弾したのです。民間人への被害が激増しています。

9

モルドバとはどんな国?

ロシアの〝次の標的〟と懸念される国の素顔

ウクライナに侵攻したロシア軍が、次はモルドバに侵攻するのではないかという懸念が広がっています。でも、モルドバという名前を聞いたことのない人も多いでしょうね。ここも旧ソ連の一部だったのです。その点ではウクライナと同じ立場ですし、モルドバの中にも親ロシア派勢力が自称「独立国」を宣言している地域があるのです。ここも似ています。どういうことなのでしょうか。

ロシア軍がウクライナへの侵攻を始めてまもない二〇二二年三月一日、プーチン大統領の盟友といわれるベラルーシのルカシェンコ大統領は、政府の安全保障会議を開き、ウクライナ情勢について、地図を掲げて説明しました。この様子はベラルーシ国内でテレビ放送されたのですが、注目を集めたのは、ウクライナ南西部で国境を接しているモルドバに対し、ロシア軍が侵攻する予定であるかのような矢印が描かれていたことです。

おそらくルカシェンコ大統領には、事前に侵攻計画が伝えられていたのでしょう。それをそのままテレビに映してしまう間抜けさには驚きますが、これではモルドバの人たちが警戒を強めるのは当然です。

現在ロシア軍は、ウクライナ南部の黒海沿いの地域を攻撃し、すでにロシア軍が支配しているクリミア半島とつなぎました。そこからさらに西に進んでモルドバまで達しますと、ウクライナを完全な内陸国にすることが可能です。港を失えば、ウクライナは小麦やトウモロコシなどの穀物を輸出しにくくなり、経済的に弱体化します。ロシアのプーチン大統領は、それを狙っているのでしょう。

モルドバの人口はおよそ二六〇万人。面積は九州とほぼ同じ。ルーマニアとウクライナの間に位置します。実はここは、もともとルーマニアの一部でした。ところが第二次世界大戦前、ドイツとソ連が秘密協定を結んでルーマニア分割を画策。ルーマニア東部のモルダビア地域をソ連が占領し、「モルダビア・ソビエト社会主義共和国」としてソ連の一部にしてしまいます。ソ連を構成する一五の共和国のひとつにしたのです。

帝政ロシア時代から不凍港を求めてきたソ連としては、少しでも黒海沿いの土地を欲しかったのですね。

しかし、もともとルーマニアの一部だったこともあり、民族としてはルーマニア系で、言葉もルーマニア語です。国旗もルーマニアとよく似ています。

そこに住む住民の意向に関係なくソ連に併合されてしまったため、当然のことながら「ルーマニアと一緒になりたい」と考える人たちがいましたが、これをソ連の独裁者スターリンが弾圧。二万人以上もの人が、現在のカザフスタンやシベリアに強制的に送られてしまいました。

ここにはルーマニア正教の信者が多かったのですが、宗教を否定するソ連が教会を破壊し、多くの信者が処刑されました。

モルドバの人たちはラテン文字のルーマニア語を使っていましたが、ソ連はキリル文字を強制し、「モルドバ語」というのを作り出してしまいます。「お前たちはルーマニア人ではない」と強制したのですね。

独立で親ロシア派と対立

一九九一年、ここはソ連の崩壊と共にモルドバ共和国として独立します。モルドバという名前は、ルーマニア国内を流れるモルドバ川に由来し、「黒い川」を意味します。

モルドバは独立を果たすと、再びラテン文字のルーマニア語を公用語にします。ところが、ソ連時代に「自分たちはモルドバ人だ」という民族意識が作られたために、モルドバ語はルーマニア語と違うと主張する人たちはキリル文字で書かれたモルドバ語を使っています。言語学的には同じ言葉なのですが、使う文字が異なるのです。

モルドバが独立を果たすと、ソ連時代にロシア系住民が住み着いていたドニエストル川の沿岸地域が、モルドバからの分離独立を宣言し、「沿ドニエストル共和国」と称します。ちなみに「ドニエストル」とは「近くの川」という意味です。

ここの人たちは、ソ連時代に郷愁を持っていて、ソ連時代の「モルダビア・ソビエト社会主義共和国」の旗をそのまま「国旗」にしています。ソ連の国旗にあった「鎌とハンマー」のシンボルが、そのまま残っているのです。ここは、いまもソ連のままだと言われます。

これに対し、モルドバ政府が分離独立を阻止しようと治安部隊を出したことから紛争に発展。ロシア軍は「ロシア系住民を守るため」という口実で駐留しています。その数一五〇〇人。一方、モルドバ共和国の軍隊も約四〇〇〇人と弱体ですから、大規模な紛争には発展していません。

ソ連崩壊後、ウクライナでは親ロシアの大統領だった時代もありますが、現在のゼ

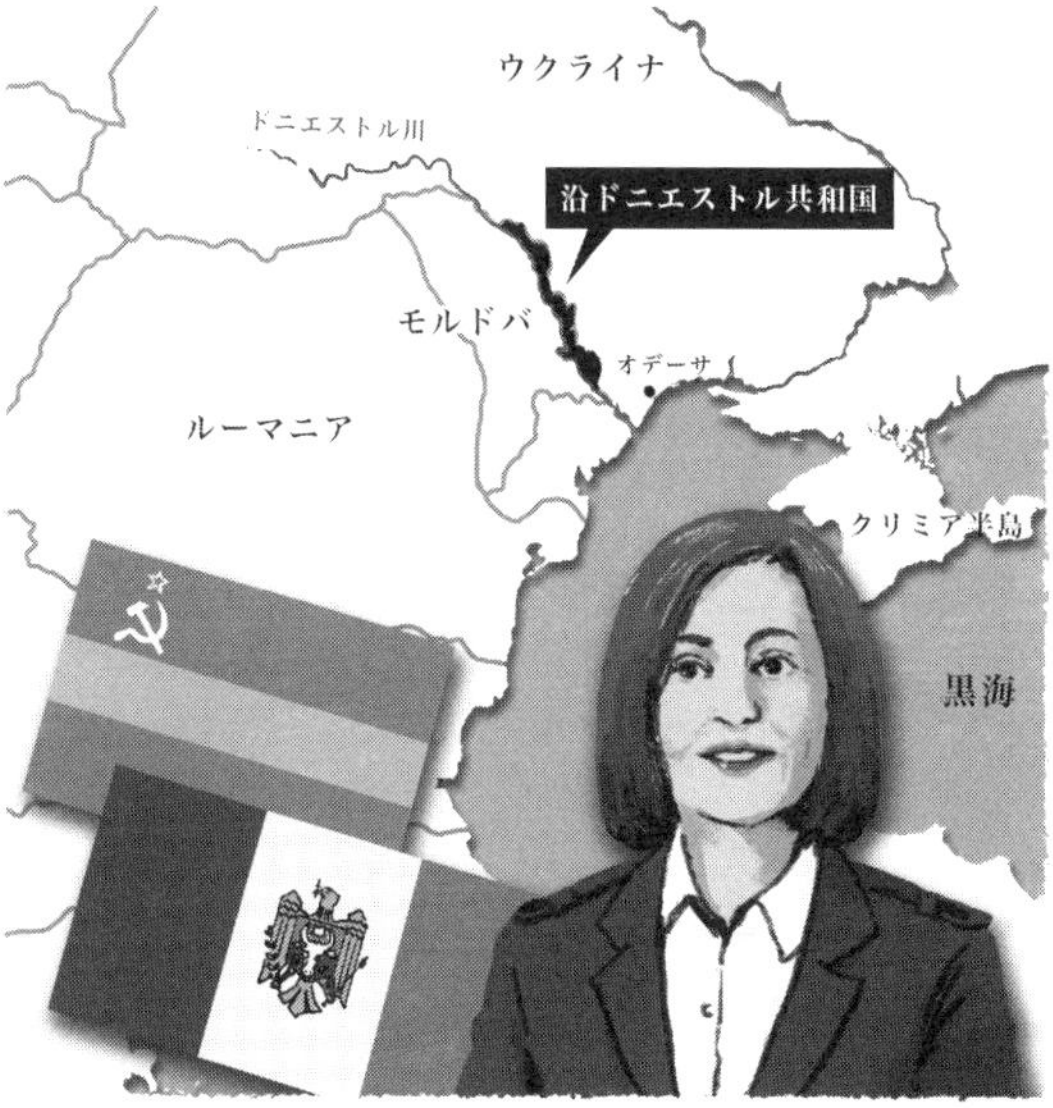

サンドゥは、東欧では5人目の女性大統領

レンスキー大統領は親西欧派。同じようにモルドバも、現在のマイア・サンドゥ大統領は親西欧派。四九歳です。

二〇一〇年にアメリカのハーバード大学ケネディスクールで修士号を取得し、二年間ワシントンの世界銀行に勤務しています。バリバリの西欧派のエリートですね。

その後、帰国し、二〇一二年には教育大臣に就任しています。このときは上司にあたる首相が学歴を詐称していると告発して、首相を辞任に追い込んでいます。こうした強い性格から「鉄の女」と呼ばれているそうです。「美し過ぎる大統領」なんて言う人もいますが、いまどき時代遅れの表現ですね。大統領は美しかったらいけないのですか、と突っ込みを入れたくなります。

それはともかく、二〇二〇年に大統領選挙に出馬して、親ロシアの現職の大統領に勝って大統領に就任。二〇二二年三月にEUに加盟を申請しました。ロシアを刺激しないようにNATOには入っていませんが、ロシアが果たして親西欧派の政権を容認するのか。このところモルドバ国内では親ロシア勢力による反政府行動も目立っています。ウクライナ情勢の帰趨が、モルドバの安全保障にも関わってくるのです。

10

「NPT会議」とはなんだ?

核拡散防止条約の成り立ちと未来

「NPT会議決裂」このニュースが二〇二二年八月末にありました。NPTとは何だろう。こんな感想を持った人もいたでしょうね。ニュースの世界ではアルファベット三文字の略称が多すぎるからです。でも、これは日本にとって他人事ではない大事な条約です。何が問題なのか、取り上げましょう。

NPTとは「核拡散防止条約」ないしは「核不拡散条約」と呼ばれるもの。要は、核兵器を持つ国をこれ以上増やさないようにしようという条約。国際的な約束です。

核拡散防止条約が発効したのは一九七〇年三月のこと。その後も加盟国が増え、現在は一九一カ国まで増えました。

核兵器といえば、一九四五年八月、広島と長崎に原爆が落とされ、世界は核の惨事を目の当たりにしました。あまりの威力に恐怖を感じた人たちがいる一方、「自国が核兵器を持てば、他国に対して有利になる」と考えた国もあり、アメリカに続いて核兵器を持つ国が増えました。

まずはソ連（ソビエト社会主義共和国連邦）。第二次世界大戦後の国際秩序をアメリカ主導にさせないために開発しました。実際には、アメリカが核開発を進めていた極秘のプロジェクト「マンハッタン計画」に参加していた物理学者の中に、ソ連に情報を漏らした人物がいたことにより、ソ連はいち早くアメリカに追いつきました。

続いてイギリス。マンハッタン計画には同盟国イギリスの学者たちも多数参加していたので、容易に核兵器を開発できました。

アメリカ、イギリスとくれば、フランス。フランスは、東西冷戦の中で対ソ連のためにも、隣国ドイツの脅威に対応するためにも核開発を進めました。

そして中国。一九六四年一〇月の東京オリンピック開催中に核実験をして、世界を驚かせました。これで計五カ国です。

この調子で核兵器を持つ国が増えたら大変だ。そんな危機意識を持つ核兵器廃止を求める団体などの働きかけで、この条約が成立しました。条約では、一九六七年一月一日の段階で核兵器を持っていた五カ国以外の核保有を禁止しています。

この五カ国は国連の安全保障理事会の常任理事国でもあります。この五カ国だけは核兵器を持っていいけれど、それ以外の国はダメなどと、実に不公平な条約です。

でも、これ以上増えたら困るので、日本も含め世界各国は、条約に賛成しました。

しかし、インド、パキスタン、イスラエルは「不公平な条約だ」として参加しませんでした。

参加しないということは、いずれ持つつもりではないかと疑われたのですが、案の定いずれも核保有国となりました。ただし、イスラエルは、実際には核兵器を持っているのですが、「持っているとも持っていないとも言わない」という原則をとっています。持っていることを認めると、周辺のアラブ諸国が保有しようとする大義名分に使われるからというわけです。

議論の行方が、世界の未来を左右する

保有国も軍縮を行う義務があるが

では、核兵器を持っていない国にとって、条約に参加することのメリットはあるのか。あるのです。それは、核兵器を持っている国から原子力発電の技術の供与を受けることができることです。原子力発電所で発電すると、使用済み核燃料から核兵器の原料となるプルトニウムやウランが出てきます。そこで「核兵器を持たない」と約束した上でなら技術を援助するというわけです。

その場合、ＩＡＥＡ（国際原子力機関）による定期的な査察を受け、核兵器を作ろうとしていないかチェックされることになっています。

かつて北朝鮮は、ソ連に原子力発電の技術を教えてくれるように頼んだことがあり、ソ連は北朝鮮が条約に参加することを条件に技術を供与しました。ところが北朝鮮は、密かに核開発を進めていたことが発覚し、世界各国が非難したら、最終的に二〇〇三年に条約から脱退してしまいました。要は核兵器を作るのに原子力発電所が必要だったので、方便として条約に入っていたのです。

このように条約を悪用する国もありましたが、問題は、核兵器の保有が認められた五カ国をどうするかです。実は条約では「誠実に核軍縮交渉を行う義務」が明記されています。とりあえず核兵器を持っている国に対して「核兵器を直ちに放棄しろ」とは言わないけれど、最終的に放棄するように交渉をしていこうということだったのです。

この条約自体は当初二五年間の期限付きだったので、発効から二五年経った一九九五年に再検討会議が開かれ、条約の無期限延長が決まりました。その後、五年ごとに再検討会議が開かれています。つまり核兵器をどうやってなくしていくか、五年ごとに検討してきたわけです。

ところが、二〇一五年の再検討会議では、加盟国の意見が対立し、何の決議もできないままでした。そこで二〇二〇年こそ前進を、と期待されたのですが、コロナ禍で延期が繰り返され、ようやく二〇二二年、再検討会議が開かれたのです。

しかし、一九一カ国すべてが賛成しないと決議は採択されません。加盟国によるギリギリの交渉が続き、「核兵器全廃こそ、核兵器の使用の脅威に対する保障になる」という趣旨の決議案がまとまりました。

ところが土壇場になって、ロシア軍が占領したウクライナのザポリージャ原発に関する表現などをめぐってロシアが反対に回り、決議案は流れてしまいました。

これにはガッカリです。ロシアのウクライナ侵攻が諸悪の根源だったのですが、それでもロシア以外の国々が、少しでも核兵器をなくす努力をしようとしたことは、とりあえず収穫と考えておきましょう。次の再検討会議は二〇二六年。それまでにウクライナでの戦争が終わっていてほしいのですが。

11

「ワグネル」は何をしている？

囚人を戦地に送る民間傭兵会社の実態

〈ロシア国内で非合法の民間軍事会社「ワグネル」の存在感が増している。ウクライナの激戦地を掌握したと主張するなど、苦戦が続く侵攻に不可欠な存在とみなされ始めたためだ。ただ、創設者のプリゴジン氏はロシア軍幹部を痛烈に批判するなど「反エリート」色が鮮明だ。その影響力の高まりは、政権内に緊張も生み出している〉（朝日新聞二〇二三年一月二一日朝刊）

〈米国家安全保障会議（NSC）のカービー戦略広報担当調整官は20日、ウクライナで人権侵害や残虐行為をしているとして、ロシアの民間軍事会社「ワグネル」を国際犯罪組織に指定すると発表した〉（同夕刊）

ウクライナ情勢をめぐるニュースで頻繁に出てくる名前が「ワグネル」です。どんな組織なのでしょうか。

ワグネルとは、ナチス・ドイツのヒトラーがこよなく愛した作曲家ワーグナーのロシア語読み。組織を作ったGRU（ロシア連邦軍参謀本部情報総局）の中佐だったドミトリー・ウトキンという人物が、ネオナチ思想の持ち主でワーグナー好きだったのが名前の由来だそうです。

ロシアのプーチン大統領は、ウクライナ政府が「ネオナチ思想に染まっていてロシアにとって脅威だ」というのをウクライナ侵攻のひとつの理由にしていますが、本人が頼りにしている軍事組織の創設者がネオナチだというのでは話になりません。

「ネオナチ」とは「新しいナチズム」またはその信奉者のこと。ヒトラーが掲げたナチズムは、アーリア人至上主義で反ユダヤの民族主義でしたが、その現代版で、白人こそが優れた民族と考えてユダヤ人や有色人種を排斥する思想を指します。

ワグネルは民間の傭兵組織。正規の軍隊ではなく、金で動く兵隊たちです。ところがロシアでは傭兵は刑法で禁止されています。存在自体が違法なのですが、「違法なものは存在できない」ので存在していないという不思議な存在です。

これまでは、そんな不思議な論法で存在自体を隠してきたのですが、ウクライナでの軍事作戦ではワグネルに頼らざるを得なくなり、最近はワグネルの貢献を認めるようになりました。刑法との関係はどうなっているのだと追及したくなりますが。

このワグネルに出資して組織を育てあげたのは、エフゲニー・プリゴジンです。プリゴジンはプーチン大統領と同じレニングラードの出身。過去には数々の犯罪で九年間の刑務所暮らしをしたことがありますが、ソ連崩壊後、高級レストランの経営で成功し、プーチンらロシア政府の幹部が客を接待するときの場所の確保や仕出しを担当して、プーチンとの関係を深めます。

その結果、「大統領のシェフ」と呼ばれるようになりました。

そして、プーチン大統領の信頼を得たことで、ロシアの秘密の軍事行動を請け負うようになります。

GRUと密接な関係を持ち、ロシア国内のGRUの軍事訓練場で訓練を受けています。

「任務を終えれば無罪放免」だが

ウクライナ侵攻前の段階でワグネルの戦闘員は二〇〇〇人から三〇〇〇人程度と見られていましたが、ウクライナ侵攻後は急激に組織を拡大し、現在は五万人もの兵員を抱えるようになったようです。

ウクライナでロシア軍の苦戦が伝えられると、プリゴジンがロシア国内の刑務所を回って、「志願兵になって任務を終えれば無罪放免になる」とリクルートしている動画がネットに流出しています。

刑務所で服役中の囚人たちを、民間の傭兵会社がどんな権限で保釈させているのか、全く不明です。

ただ、ロシアそして昔のソ連は、戦場の最前線に囚人を送り込むことがありました。その伝統が続いているとも言えるでしょう。

しかし、前線に投入された囚人たちは悲惨です。ワグネルは、ウクライナ軍の陣地に向けて囚人たちを突撃させ、ウクライナ軍に応戦させてウクライナ軍の居場所を確認。そこに向けて砲撃しているというのです。囚人たちはウクライナ軍をおびき寄せるエサにされている、と悲痛な叫びがSNSで発せられています。

「大統領のシェフ」が恐怖のメニューを続々と戦場に

こうした傭兵組織を使うことは、プーチン政権にとってメリットがあります。まずは人件費の節約です。正規軍の兵士を維持するには退役後の年金支給も含め多額の費用がかかりますが、傭兵組織なら、高い報酬を約束しても、その後の面倒を見る必要はありません。

たとえ戦闘で死亡しても、自国の兵士の死者数にカウントされないので、国内での批判も起きません。

また、国際的な批判を受けにくいということもあります。紛争地で殺戮を繰り返しても、「我が国は関知していない」と言い張れるということです。シリア内戦では独裁政権のアサド政権をロシアが支援。実際の戦闘ではワグネルがシリアの民間人を拷問したり虐殺したりしたと報じられていますが、ロシアは知らん顔をしていられるというわけです。

ロシアは二〇一四年、ウクライナのクリミア半島を占領しました。これを機にウクライナ東部の通称ドンバス地方でロシア系武装勢力がウクライナの政府機関を攻撃し、以後、戦闘が続いています。これについてロシアは、「ロシア軍は介入していない」と言い張ってきましたが、実際にはワグネルが重要な働きをしてきたのです。

また最近では北朝鮮がロシアに砲弾など兵器を輸出しているとアメリカは非難していますが、北朝鮮は「ロシアに兵器は売っていない」と否定しています。そう、ロシア政府には売っていないかも知れませんが、ワグネルには売っているのです。こんな論法も使えるというわけです。

しかし、最近はウクライナ東部の戦闘でワグネルが〝戦績〟を積み重ねて存在感が高まったことに、ロシア国防省が牽制するかのような態度を示すなど、両者の対立も表面化してきました。ワグネルとロシア軍の手柄争いが、さらに悲惨な事態を招かないか心配です。

12 ウクライナ戦争はまだ続く

侵攻から1年。勝者なき戦争の行方

ロシアによるウクライナへの軍事侵攻から一年が経つ二〇二三年二月二三日（アメリカ東部時間）、国連総会の緊急特別会合で、ロシア軍の完全撤退や戦争犯罪の調査と訴追を求めた決議案が提案され、賛成一四一、反対七、棄権三二で採択されました。

とはいえ、これは安全保障理事会による決議のような強制力は持ちません。ロシアを動かすことはできませんが、国際社会の意思を示すという象徴的な意味はあります。

この数字をどう見ればいいのか。二月二四日付東京新聞夕刊は、〈採択を主導した米欧は侵攻一年を機に、国際社会の結束とロシアの孤立化を進めることに成功した〉と評価しています。

ところが、この数字を子細に点検しますと、賛成一四一というのは、侵攻直後の去年三月に採択されたロシア非難決議と同数でした。ロシアを非難する国は増えていないのです。〈戦闘の長期化で支援継続が各国の重荷となる「ウクライナ疲れ」も指摘されるが、国連憲章や国際法に違反するロシアへの非難が弱まっていないことを示した〉（同前）と分析することは確か

に可能ですが、一年も悲惨なニュースを見聞きしてもロシアを非難する国が増えていないと分析することも可能です。

また、賛成と反対、棄権を合わせても一八〇カ国です。国連加盟国は一九三カ国ですから、差し引き一三カ国は、そもそも投票に加わっていないのです。つまり国連加盟国でロシアへの非難に賛成した国は全体の七三％なのです。

さて、これを多いと見るか、意外に少ないと見るか、見方は分かれるでしょう。

あれから一年。一刻も早い停戦をして欲しいと望むのですが、両国の主張を見ると、絶望的に難しいのです。

ロシアのプーチン大統領は、一年前、「ウクライナの領土を占領することはない」と宣言していましたが、いまやウクライナ東部と南部の計四つの州を占領しています。

しかし、これもプーチン大統領の理屈としては、「ウクライナ東部の二つの州と南部二州がロシアへの編入を求めてきたので、これを承認した」ということになるのです。

もし、いま停戦をすると、どうなるのか。プーチン大統領が「ロシア領だ」と宣言したウクライナの四つの州は、いまだに完全制圧が成功していません。つまり、ロシアは自国領の一部がウクライナに占領されたままになるということになります。ここで停戦したら、「自国領を守ることができていない」というわけでプーチン大統領の大失敗です。

一方、ウクライナにすると、いま停戦すると、「ウクライナ領の約一八％が他国に占領されたまま」ということになります。これはウクライナの敗戦。ゼレンスキー大統領に、この選択肢はありません。ウクライナ国内の世論調査でも「全領土を取り戻すまで戦うべきだ」と多くの国民が主張しています。ここで停戦はありえないのです。

尊い命が次々に奪われている

〝永続戦争〟になってしまう?

ロシアは二〇二四年三月に大統領選挙を控えています。プーチン大統領は、「ウクライナでの軍事作戦に成功した」という実績を示して再選を確実にしようとしていますから、少なくとも、二〇二四年三月まで停戦はありえません。

さらにプーチン大統領が二〇二三年二月二一日に連邦議会で演説した内容を見ると、プーチン大統領が健在である限り、〝永続戦争〟になってしまう気配です。

演説の中でプーチン大統領は、「戦争を

始めたのは彼らだ」と主張しています。西側諸国が戦争を始めたのであり、「我々はそれを阻止するために武力を行使した」と言っています。

なんとも荒唐無稽な発言ですが、プーチン大統領にしてみると、二〇一四年に西側諸国は「戦争を始めた」ことになります。二〇一四年、当時のウクライナのヤヌコビッチ大統領が、それまで進めてきたEU加盟を目指した話し合いを中断したことに、親EU派の住民たちが反発。首都キーウで住民たちの抗議行動を政府が力で抑えようとしたために暴動となり、翌年ヤヌコビッチ大統領はロシアに亡命してしまいました。

これ以降、ウクライナでは五月に新たに大統領選挙が実施され、親EU派の大統領が誕生しました。これをプーチン大統領は「クーデターだ」と断じ、東部で起きた親ロシア派武装蜂起を支援しました。親EU派の大統領を認めず、これは「西側諸国による攻撃だ」というのです。また、「西側諸国はロシアに戦略的敗北を与えよう」としていると非難しています。

この部分は、指摘通りですね。アメリカやイギリスなどは、ウクライナ軍に大量の兵器や多額の資金を援助することで、ロシア軍を消耗させようとしています。

この結果、ロシア軍は死傷者が二〇万人にも達するという推定もありますし、稼働可能な戦車の半数を失ったという推測もあります。これだけ損耗が激しければ、もはやロシア軍は他国を侵略する力を失います。そうなればNATO（北大西洋条約機構）に加盟するヨーロッパ各国は安心できるというわけです。

そうなると、これを阻止するのはロシアにとっての「自衛の戦い」となり、途中で戦争を停止することはありえなくなります。

でも、これはウクライナ国内でのロシアとの代理戦争を意味します。最大の被害者はウクライナ国民です。

もちろんプーチン大統領の命令でウクライナに派遣されて死傷するロシア軍の兵士たちも被害者です。

そして、戦争をやめさせるためにロシアに対する経済制裁を続けた結果、石油や天然ガス、食料の価格上昇に苦しんでいる世界の人たちも被害者です。

この戦争には勝者がいません。〝永続戦争〟になっても、勝者は決して生まれないのです。

特別対談

1

小泉悠「プーチンの戦争はいつまで続く」

東京大学先端科学技術研究センター専任講師

ウクライナ侵攻が始まって以降、一躍有名になったのが、ロシアの軍事に精通する数少ない専門家、小泉悠さんだ。二二年夏に行われたこの対談で、プーチンの野望や日本の防衛の今後、妻との出会いまで語ってくれた。

こいずみゆう／1982年生まれ。東京大先端科学技術研究センター専任講師、軍事アナリスト。早稲田大社会科学部、同大学院政治学研究科修了。『「帝国」ロシアの地政学』でサントリー学芸賞。著書に『現代ロシアの軍事戦略』など

池上　小泉悠さんは、ロシアの軍事に関する数少ない専門家です。ロシアによるウクライナ侵攻が始まってから、忙しくなって生活が一変したでしょう。

小泉　取材依頼の電話がずっと鳴っているし、睡眠は取れないし、最初の一カ月は記憶がないほどです。この前、親知らずを抜いている最中に、歯医者さんから「テレビに出てるでしょ」と言われたり（笑）。ロシアの軍事って脚光を浴びる分野ではないし、あまりいいことではあ

りませんけど。
池上　最近のご活躍を見ていると、軍事評論家の江畑謙介さんと重なります。江畑さんは湾岸戦争のときにテレビによく出ていました。
小泉　江畑さんは憧れの人だったから、そう言われるのは本当に名誉で嬉しいです。ただ私は一九八二年生まれなので、湾岸戦争の記憶はあまりないんです。
池上　今でも覚えていますが、アメリカ軍がピンポイントでイラク軍の爆薬庫を爆破している映像が公開されたとき、ＮＨＫの某キャスターが「よく当たるものですね」と言ったら、江畑さんは「当たり前です。当たった映像だけを公開しているんです」と。私は見ていて「なるほど」と（笑）。
小泉　僕は中学生の頃に江畑さんの『日本が軍事大国になる日』などを読んで、「こういうことがわかる人が日本にいるんだ」と憧れました。本の最後に必ず「妻に感謝する」とある。それを意識して、私も本に妻への謝辞を入れています。妻は池上さんの大ファンです。日本に留学中、日本のことを知るのにＮＨＫの『週刊こどもニュース』がとてもわかりやすかったと。今日はよろしく伝えてほしいと言付かってきました（笑）。
池上　奥さまのお話は後ほど伺いますね。二月二四日に始まったウクライナ侵攻を予測していましたか。
小泉　私の中に、ロシア屋の小泉と軍事屋の小泉が同居していて、ロシア屋のほうは「何の得にもならないから、ないだろう」と考えていました。一方、軍事屋のほうは、見たことがない規模と陣容のロシア軍がウクライナとの国境付近に集結している衛星画像を見て「これは、どう考えても戦争の準備をしている」と思い、分裂状態でした。ところが、二月初めに基地から出てきて国境付近に野外展開を始めたので、軍事屋の小泉の声が勝ったという感じです。それでも侵攻直前まで半信半疑でしたね。

池上　ロシア軍は強いんだろうなというイメージがあったのに、ウクライナの首都キーウの攻防など見ると、こんなにお粗末なのかという印象を受けました。

小泉　この戦争のグランドデザインそのものに、まず問題があったと思います。すでに指摘されているように、プーチン大統領の思惑としては、緒戦でゼレンスキー大統領を殺すなり捕まえるなりしてキーウを占領すれば、ウクライナ全体が抗戦意思を失うだろう。そうなれば国境周辺の一五万のロシア軍は、戦闘せずに進駐するだけで済む、と考えた。これは一九五六年のハンガリー動乱や、一九六八年のプラハの春と同じやり方です。

池上　どちらの民主化運動も、旧ソ連が軍事介入して、たちまち鎮圧した。ハンガリー軍やチェコスロバキア軍の抵抗をほぼ受けずに首都を制圧し、指導者を捕まえてソ連へ連行しました。

小泉　チェコスロバキアを事実上占領して常駐したソ連軍とワルシャワ条約機構軍の兵力の合計が、ちょうど一五万くらい。そのことが、プーチンの頭の中にあったと思います。さらに言えば、プーチンはなぜKGBに入りたいと思ったのかを訊かれ、こう答えています。「子どもの頃に『盾と剣』というスパイ映画を観て、一〇〇万の軍隊でもできないことをたった一人のスパイが成し遂げてしまうところに、大いに魅力を感じたから」。強大な軍事力で真正面からぶつかるより、奇計を案じて一発で決めるような作戦に傾倒するタイプなんでしょう。

池上　早期に決着がつくと甘く見ていたら、思惑通りにいかなかったわけですね。

小泉　思い通りにいかなかった理由のもうひとつは、ウクライナ国民を舐めていたこと。ロシアが攻めてきても歓迎せず、自分の国を守るために戦う意思を持っていることに気付いていませんでした。二重の侮りがあったんです。また、キーウ攻略を諦めたのは三月末ですが、四月にドヴォルニコフという将軍が総司令官に任命されましたよね。

池上　それまで総司令官が不在だったことに、逆に驚かされました。

小泉　ウクライナが本格的な抵抗を示したから、真面目にやらなきゃいかんと考え直したのが、あの時期だったんでしょう。

池上　現在の戦況を、どう見ていますか。

小泉　ウクライナは、旧ソ連でロシアに次ぐ第二位の二〇万人の軍隊をもっていたので、もともと弱くありません。加えて、戦時動員をかけています。六月には国防次官が、全部で一〇〇万人の兵力だと言いました。簡単には負けないでしょう。

池上　ロシアは東部二州を押さえたら、もう一度キーウ攻略を狙うでしょうか。

小泉　ドネツク州まで完全に占領した段階で、どのぐらい兵力が残っているかによりますが、最終的には狙うと思います。歴史を振り返ると、ロシアは第二次大戦で、独ソ戦を四年続けています。モスクワの手前四〇キロまでドイツ軍に迫られながら押し返すという、大変などんでん返しでした。戦争では、盤面が一気にひっくり返ることがあります。いまはまだウクライナがしのいでいるといっても、先は読めないのが怖いです。

池上　いつまで続くんでしょうか。

小泉　プーチン大統領には、ウクライナがロシアとは違う国になろうとすることが受け入れられないんです。本来同じであるべきルーシの民、スラブの民を自分が統一するんだという、非常に抽象的な野望に取りつかれているように見えます。なので、ウクライナの主権を完全に奪うまで、止める気はないのではないかと。

池上　そうでしょうね。

小泉　ウクライナの国土の二割が占領されていて、七〇〇万人が国外難民になり、おそらく一二〇から一三〇万人がロシアに強制移住させられている状況です。双方とも止める気がなく、戦い続ける能力をもっている以上、二〇二三年いっぱい続いても驚きません。

池上　ロシアがルハンスク州を押さえたとき、チェチェン共和国の独裁者カディロフの私兵の連中が記念撮影していたでしょう。ロシアの正規軍ではないのに、最前線で戦ってるんですね。

小泉　彼らの戦闘力は高くないのですが、いくら死なせてもロシア国内で問題にならないからです。ロシア国民から支持されている限りにおいて、プーチンはリーダーでいられる。中国の習近平国家主席にも同じ面があると思いますが、非常に二一世紀的な独裁者です。だから戦死公報に載る形では、国民をたくさん死なせられないんですよ。民間軍事会社のワグネルを使っているのも、同じ理由です。

池上　ワグネルは、ロシア国内の刑務所から兵士を集めています。

小泉　ここまでは東部軍管区の部隊が大規模に投入されてきたので、将校は白人でも兵士にはアジア系が多いんです。モスクワやペテルブルクで暮らす中産階級の人たちにとって、現在のところ戦争はテレビの中の出来事でしかありません。自分たちや家族は戦場へ行かず、生活も脅かされていないからです。ロシアも国民総動員をかけることが可能なのに、プーチンがそうしないのは国民の不興を買いたくないからでしょう。

池上　特別軍事作戦だと言い張っている以上、国民総動員はおかしいだろという話になりますね。

日本が台湾有事に巻き込まれたら

小泉　プーチン自身、国民をメチャクチャだった九〇年代から救い出したという神通力が失せることを、恐れていると思います。だから「皆さんの生活は、これまで通りで大丈夫」という建前を崩せないんですよ。かといって戦争をやめるつもりはないので、カディロフの私兵や囚人に頼るわけです。

池上　まだ当分は、やる気なんですね。

小泉　ロシアは豊かな資源をもつ国ですから、その気になれば延々と戦えます。西側の半導体がなければハイテクの巡航ミサイルは作れないという情けない現実の一方、通常の一五二ミリ砲弾なら無限に出てくる。

池上　ロシア軍は、量は質に転化すると考えていますよね。ソ連時代の古い戦車も、いつ何時使うかもしれないから、油を差して保管してあります。今回の戦争でも、古い兵器を投入しているでしょう。

小泉　Google Earthで見るとわかりますけど、サハリンの南部に巨大な武器保管基地があって、カバーをかけた戦車や装甲車や大砲がズラーッと並んでいます。その一部を取り出して現役復帰させる訓練も、時々やっています。今回も最新の戦車T‐90がなくなってきたら、一九六〇年代のT‐62まで引っ張り出してきました。また銃も、ドネツク人民共和国で徴兵された兵士が持たされているものは「モシンナガン」です。ロシア帝国が一九世紀末に作った小銃で、日本陸軍が使っていた三八式歩兵銃の先輩にあたります。

池上　え、カラシニコフじゃないんだ。

小泉　友人によれば、ロシア軍の倉庫には、グリス漬けになったモシンナガンの木箱がいっぱい積んであるそうです。池上さんのおっしゃる通り、量は質を凌駕します。大砲がどんなに古かろうと、弾をいっぱい降らせられる側が強いです。

池上　一発二〇〇〇万円といわれる携行型対戦車ミサイル「ジャベリン」で、T‐62を撃つのは、コスパが悪すぎますね。

小泉　T‐62は二万両くらいあるから、ジャベリンによる消耗をはるかに上回る数を供給できます。七月までに双方が失った戦車の合計が、およそ一二〇〇両。ひと月平均で三〇〇両ずつ失われている計算です。ちなみに、陸上自衛隊が保有する戦車が三〇〇両。ロシア軍をウォッチしていてすごいと思うのは、軍管区レベルの大演習で、一週間に一〇万トンの砲弾を使うんですよ。自衛隊の全備蓄弾薬は一一万トンです。

池上　自衛隊が隊内で募集して話題になった川柳に、「たまに撃つ　弾が無いのが　玉に傷」という有名なのがあります（笑）。

小泉　日本人は凝り性なので、火器管制システムの性能とか戦車兵の練度といった、細かい話に陥りがちです。しかし継戦能力に、もっと意識を向けるべきではないでしょうか。

池上　冷戦の時代には、陸自も北海道に大量の戦車を置き、アメリカが駆けつけてくれるまでの継戦能力は三日あればいいと言われました。いま、ウクライナでの戦争を受けて、日本の防衛をどうするかという議論が盛んになっていますね。

小泉　中国の戦略核弾頭は、二〇三〇年に一〇〇〇発に達する可能性が指摘されています。するとと米中の間には、相互脆弱性が成立するはずです。お互いに手出しができない中で、日本が台湾有事に巻き込まれたら、今回のウクライナに似た状況になるのではないでしょうか。つまり、大国の強大な軍事力に対して、国際的な支援が始まるまでの一カ月くらいは自力で持ち堪えなければいけない。日本は軍拡競争に参加すべきではありませんが、リソース（資源）の範囲での抑止力の確保を考えたほうがいいと思います。

池上　防衛費の額ありき、ではないと。

小泉　何を守るのかという防衛哲学は、政治家と国民の対話でしか作れません。その上で、ではＧＤＰの二％に引き上げたらどの装備を買いましょうか、という順番になるべきです。

妻とはモスクワ留学中に……

池上　小泉さんは、どうしてロシアの軍事を研究するようになったんですか。

小泉　私が生まれた千葉県松戸市のはずれは、海上自衛隊下総航空基地の真横。頭の上を常に哨戒機Ｐ‐３Ｃが飛んでいる、ミリタリーな環境で育ちました。小学校の図書室には反戦本が多かったんですが、そこに出てくる軍艦や駆逐艦に興味をもつという逆教育効果で（笑）。小遣い全部を戦艦や艦船のプラモデルに使っていて、『トップガン』をテレビで観てＦ‐14のかっこよさにしびれた。高校生の頃、謎の存在だったソ連の兵器に関する情報が出てきました。スホーイ27を見て、なんて美しいんだろうと。

池上　あの戦闘機はかっこいい。

小泉　デコボコした変な兵器を作るかと思うと、あんなバレリーナみたいに美しい戦闘機も作る。そのギャップからロシアの兵器や軍事に関心をもって、大学でロシア語を学びました。

池上　奥さんのエレーナさんとは、モスクワ留学中に知り合ったんですね。

小泉　ロシア語の会話の練習相手を探して、紹介されたのが出会いです。ロシア人の彼女はモスクワ大学付属アジア・アフリカ諸国大学の大学院で日本語を学んでいて、趣味も合いまして。

池上　どんな趣味ですか。

小泉　落語です。奥さんは修士論文のテーマにしていたんですが、オチの意味がわかりにくい。私は親父が落語好きだったので、解説してあげたりして。

池上　そもそも奥さんは、なぜ日本に興味を？

小泉　彼女はモスクワの都心生まれで、一〇代の半ばに市内の植物園にある日本庭園でお茶会を見学して、ものすごく面白かったんですって。それで日本に関心を持ち、大学を受けるときに日本語を選んだそうです。

池上　小泉さんのように、軍事面からロシアを見ると、新しい視点が生まれるのではないですか。

小泉 もともと日本には、それがあったんです。国会図書館でアルバイトしていたとき、『軍事研究』という雑誌の四〇年分のバックナンバーに目を通しました。

池上 私は毎月、愛読しております（笑）。

小泉 冷戦が終わるまでは、レベルのメチャメチャ高いソ連軍に関する考察記事が載っていた。帝国陸軍や満鉄調査部以来の蓄積があって、ロシア語を読んで論じられる人たちがいたんです。ところがパタッと消えてしまって、私が二〇〇七年二月号で書くまで一五年間、誰も書いていないんです。でも、同業者は増えませんね。

池上 かつて小泉さんが江畑謙介さんに憧れたように、軍事オタクの若者たちは小泉さんを目指すかもしれませんよ。

（二〇二二年八月一五・二二日号掲載／構成・石井謙一郎）

第2章

「〝不思議の国〟アメリカ」そこからですか⁉

13

九・一一から二〇年を振り返る

思い上がりが招いたアメリカの失敗とは？

二〇二一年九月一一日は、二〇年前、反米テロ組織アルカイダのメンバー一九人によって乗っ取られた四機の航空機が、ニューヨークの世界貿易センタービルやワシントンの国防総省の建物などに突っ込み、多数の死者を出した日です。これが同時多発テロです。

これに怒った当時のジョージ・W・ブッシュ大統領（息子）は「テロとの戦い」を標榜して、アフガニスタンを攻撃。さらにイラク攻撃へと戦線を拡大し、米軍に多大の犠牲者を出しました。いったんはアフガニスタンのタリバン政権を崩壊させながらも、その後の処理に失敗。タリバンは生き延びました。

いったい何が悪かったのか。結果論にはなりますが、アメリカの失敗を振り返ってみましょう。

同時多発テロが起きる前、ＣＩＡ（中央情報局）の各地の支局から、アルカイダの指導者オサマ・ビンラディンがアメリカに対する大規模なテロを計画しているという情報が寄せられていました。もちろん日時や攻撃対象などは不明でしたが、事前に取っておくべき対策があったことが、事件後になってわかります。

たとえば、ハイジャックされた飛行機の乗客名簿を確認したところ、アルカイダのメンバーだと判明している二人が搭乗していたことがわかりました。CIAが把握していた情報がFBI(連邦捜査局)に送られていながら、その後の対策が取られていなかったのです。そのうちの一人は、CIAがFBIに情報を送った後でアメリカに入国していました。FBIが直ちに全国の入国管理のコンピューターシステムに「入国を拒否すべき人物」として登録していれば、入国を防げたのです。また、全国の航空会社に対し、「搭乗を拒否すべき人物」として通告しておけば、少なくとも一機の航空機はハイジャックされないで済んだでしょう(スティーブ・コール著、笠井亮平訳『シークレット・ウォーズ』による)。

次に、事件後の対応について。ブッシュ大統領は、ニューヨークの世界貿易センタービルの倒壊現場に赴いたのち、「テロとの戦い」を宣言します。ここまでは問題ありませんが、このとき大統領は、「これからは十字軍の戦いだ」と口走ったのです。ブッシュ大統領は、熱心なキリスト教徒として「十字軍」にプラスのイメージを持っていたのかも知れませんが、十字軍が過去に何をしたのか、歴史を知っていれば、こんな発言は出て来なかったはずです。十字軍は、キリスト教徒が「聖地エルサレム奪回」を叫んでエルサレムを攻撃した出来事でしたが、この過程で多数のイスラム教徒を虐殺しています。イスラム教徒にとって十字軍とは、「キリスト教徒による一方的な攻撃」だったのです。

ブッシュ発言は、イスラム過激派にとっては願ってもない言葉でした。「テロとの戦い」として米軍がイスラム過激派を攻撃しようとすると、過激派は「十字軍による攻撃だ」と宣伝できるようになりました。キリスト教社会とイスラム教社会の分断につながったのです。

アフガニスタンの実情を知っていれば……

テロの前からＣＩＡは、ビンラディンがアフガニスタンのタリバンの庇護下にいることを把握していました。ビンラディンは強硬な反米主義者だったことから、サウジアラビアの国王によって国籍を剥奪され、国外追放になっていました。ＣＩＡは、この段階からビンラディンを追跡。ビンラディンがスーダンに入国すると、スーダン政府に圧力をかけて、ビンラディンを国外追放に追い込んでいます。その後、ビンラディンはアフガニスタンにタリバンを頼って入国していたのです。

その結果、同時多発テロが起きると、ＣＩＡは直ちにビンラディンの仕業と判断。報告を受けたブッシュ大統領は、タリバン政権にビンラディンの引き渡しを求めました。

ところがタリバンは要求を拒否します。ブッシュ大統領は、「テロリストも、テロリストを匿う者も同罪だ」と宣言してアフガニスタンを攻撃。タリバン政権を崩壊させたのです。

このとき、もっとアフガニスタンの実情を知っていれば、と思います。タリバンの主力はパシュトゥン人でした。パシュトゥン人には「パシュトゥンの掟」が存在するのです。これは、「もし誰かが助けを求めてきたら、客人として温かく迎え入れ、命をかけても助けなければならない」というものです。

新しい戦争の始まりだった

タリバンにとってビンラディンは客人でした。アメリカがただ「引き渡せ」と要求したところで、やすやすと認めるはずはなかったのです。ここは、「パシュトゥンの掟」を尊重しつつ、「ビンラディンは客人ではない。国際的なお尋ね者だ。『コーラン』に、ユダヤ教徒やキリスト教徒も同じ啓典の民として大事にしろと書いてあるではないか。無差別テロを引き起こしたビンラディンはイスラムの教えに反する犯罪者だ。イスラムの教えに反する者を匿ってはいけない」と説得する手はなかったのかと思ってしまいます。

当時のタリバンは、アフガニスタン国内のことしか知らず、米軍の強さを知らなかった節があります。アメリカが攻撃前に軍事力を見せつけ、タリバンの妥協を引き出す。この手も試してみて良かったのではないかと思ってしまいます。

では、タリバン政権が崩壊した後は、どうすれば良かったのか。鍵を握っていたのはパキスタンでした。アフガニスタンとの国境沿いのパキスタンに住むのもパシュトゥン人。タリバンがパキスタンに逃げ込むと、彼らがタリバンを匿ったのです。ビンラディンもパキスタン領内に潜伏していました。パキスタン政府にもっと圧力をかけ、タリバンを匿わないようにできなかったものかと思ってしまいます。いずれにしても他国の政治に介入して都合のいい政権を作るのは限界があるのです。アフガニスタンに民主政権を作り出すという発想自体が、アメリカの思い上がりだったと言えるでしょう。

14 アメリカで現代版「黄禍論」か

「チャイナ・ウイルス」発言で噴き出たアジア人差別

二〇二一年からアメリカでアジア系の人たちを標的にした襲撃事件が相次ぎました。日本人も例外ではありません。同年二月下旬にはロサンゼルスにある日本の東本願寺の別院が放火されたり窓ガラスが割られたりする被害にあい、防犯カメラには白人とみられる男性が映っていました。

三月にはジョージア州アトランタのマッサージ店三店で発砲があり、八人が死亡しましたが、そのうち六人はアジア系の女性でした。日本人はいませんでしたが。

相次ぐ襲撃事件を受け、アメリカのニュース週刊誌「タイム」(二〇二一年三月二九日・四月五日号)は表紙にアジア系女性のイラストを掲載し、「我々は黙っていない」と大書しました。

「カリフォルニア州立大学サンバーナディーノ校の『憎悪・過激主義研究センター』が警察の暫定データを分析したところ、ロサンゼルス、ボストン、シアトルなど十数都市では、アジア系に対する憎悪犯罪が2020年に149%増加した」(「ウォールストリートジャーナル」日本

語電子版同年三月二〇日付)

「ピュー・リサーチ・センターが昨年6月に米国の成人9654人を対象に行った調査では、コロナ感染の拡大以降、人種や民族を背景とする中傷を受けたり冗談を言われたりしたことがあると答えた人は、アジア系成人の約31%に上った。これは黒人の成人の21%、ヒスパニック系成人の15%、白人系成人の8%を上回る」(同前)

なぜこのようにアジア系の人たちへの襲撃が激増しているのか。それは、トランプ前大統領が新型コロナウイルスを「チャイナ・ウイルス」と呼んだことが引き金になったと多くの人が指摘します。トランプ前大統領は感染拡大を防げず、中国への敵意を煽ったからです。

実はアメリカで感染症が流行すると、アジア人のせいにして差別が激化するということが、過去にも繰り返されてきました。こうした動きを「黄禍論」といいます。アジア人つまり黄色人種が白人に害をなすという差別論が黄禍論です。

アメリカでは黒人差別がしばしば大きなニュースになりますが、差別の対象は黄色人種にも及びます。黄色人種に対して差別をするのは白人とは限りません。黒人や中南米系の人たちも含まれます。日頃アメリカで白人によって差別される立場の人が、自分より下の存在を探し出して差別する。残念ながら、そんな負の連鎖が存在するのです。

アメリカでまず差別の対象になったのは中国系です。カリフォルニアで金が見つかったことで一八四八年から始まったゴールドラッシュでは、一山当てようと世界中から人々が殺到。中国からやってきた人たちは大陸横断鉄道建設の労働者として雇用されます。鉄道建設が一段落すると、彼らの多くはサンフランシスコなどに住み着き、チャイナタウンを形成しました。彼らは低賃金でも喜んで働いたため、白人労働者の職を奪い、敵視されるようになります。

ウイルスが憎悪の炎に火をつけた

中国系そして日系が差別の対象に

一八七六年、サンフランシスコで天然痘が流行すると、市の公衆衛生の責任者は、チャイナタウンが「疫病の中心地」だと非難しました（廣部泉『黄禍論』）。

アメリカ社会に溶け込もうとせず、独自のタウンを形成している中国系への差別意識が背景にありました。こうした敵意が法律として結実したのが、一八八二年に制定された「中国人移民排斥法」です。中国人の移民を禁止し、すでに入国している中国人がアメリカ国籍を取得することを禁止したのです。

代わってアメリカに移民としてやってきたのが日本人です。当時の日本は貧しく、農家は長男が継ぐので、次男や三男の中には海外に出て行く人たちがいたのです。

当初アメリカは日本人を受け入れましたが、日露戦争で日本がロシアに勝つと、「黄色人種が白人に戦争で勝った」というイメージが白人の恐怖を高めます。アメリカ国内では、そうした差別意識を助長する新聞がありました。部数を伸ばすためなら何でもやると称されたハーストグループの新聞各紙が日本を敵視するキャンペーンを展開したのです。

その結果、一九二四年、アメリカ議会は通称「排日移民法」を成立させます。この法律は日本人の移民を禁止することを明文化していませんが、「帰化不能外国人」の移民を禁止していました。中国人の移民が禁止された後、該当するのは日本人だけ。「日本人を対象にしていません」という形をとりながら日本人を差別する法律でした。

こうした日本人への差別意識は、太平洋戦争の勃発で一気に噴出します。一九四一年一二月、日本軍が真珠湾を攻撃すると、翌年二月、ルーズベルト大統領の命令により、約一二万人の日系アメリカ人が強制収容所に入れられたのです。

当時、「敵性外国人」としてドイツ系やイタリア系アメリカ人も収容されましたが、彼らの収容は短期間で終わったのに対し、日系人の収容は長期に渡ったのです。

この間、日系アメリカ人たちは、祖国アメリカへの忠誠を示そうと進んでアメリカ軍に志願しました。彼らは太平洋戦線に投入すると日本軍と見分けがつかなかったり、日本軍の味方をしたりするのではないかと疑念を持たれ、ヨーロッパ戦線でイタリア軍やドイツ軍と戦いました。

ここでも差別的な待遇を受けながら、日系部隊は奮戦。多くの戦功を挙げたことが知られています。

その後、一九八八年になってレーガン大統領は日系アメリカ人を強制収容所に入れたことを謝罪し、生存者に限って一人当たり二万ドルの損害賠償をしています。

日本にいる私たちは隣国の韓国や中国に対して複雑な感情を持っていたりしますが、アメリカに行くと、ひとまとめにして「黄色人種」として差別されてしまう。こうした現実があることを、まずは知っておきましょう。

15

共和党の「選挙戦略」が物議

黒人票の減少を狙った計略と新たな法律

二〇二〇年の大統領選挙で敗北したアメリカ共和党が、次の選挙では負けないようにしようと対策に乗り出しました。具体的には、民主党支持の黒人が投票しにくくしようというものです。これには、あまりに卑劣なやり方だと反発が広がっています。

先鞭をつけたのはアメリカ南部ジョージア州です。ジョージア州は知事が共和党で、州議会も共和党が多数派ですが、二〇二〇年の大統領選挙では共和党のトランプ大統領が民主党のバイデン候補に敗れました。また上院議員二人もそろって民主党が当選しました。

どうしてそんなことになったのか。ジョージア州の共和党は、民主党支持の黒人たちが大挙して投票したからだと総括しました。このままでは次の選挙でも負けてしまう。そこで打ち出したのが、これまでの選挙の方法を大きく変える法律です。二〇二一年三月二五日に州議会で可決されました。変更点は次のようなものです。

投票日当日に投票所に行けない人のためには郵便投票がある。その投票用紙を請求するのに、これまではサインでＯＫだったが、今後は運転免許証あるいは州政府発行のＩＤのデータが必要となる。請求期間も、これまでより短縮された。

郵便投票の用紙は、これまで有権者登録している人全員に送ることができたが、今後は請求者のみに送ることになった。

郵便投票以外に事前に投票できる投票用紙回収箱が各地に設置されるが、この数を削減する。

投票所に並ぶ人に飲食物を差し入れることが禁止された。


以上の改正点をどう見ればいいのでしょうか。最初の本人確認のために自動車運転免許証の提示を求めるというのは、当然のように見えますが、これは黒人が投票しにくくなる仕掛けです。黒人は白人に比べて所得の低い人が多く、自動車を持っていない人が多いからです。

アメリカの高校では授業の一環として自動車の運転免許を取得することが可能なところもありますが、黒人の高校中退率は高く、免許を取得する機会がない人も多いのです。

その結果、自動車の運転免許証を持っていないと、郵便投票の用紙を請求するのが困難になります。二〇二〇年の大統領選挙では、コロナの感染を恐れた民主党支持の黒人の多くが郵便投票をしましたから、郵便投票をしにくくすれば黒人票が減るだろうという計略です。

また、投票用紙回収箱の数が削減されることで、黒人たちの居住区付近にはなくなってしまいます。これまでは自宅から徒歩で投票に行けた人も、それが難しくなります。自動車は持っていないので、バスに乗って、ということになれば、面倒くさがって投票を諦める人も出てくるでしょう。

投票所に長い列を作って並ぶのは都市部に住む黒人が多いので、この人たちへの差し入れができないようにすることで、これも投票行動を抑制しようという狙いがあります。

現代版「ジム・クロウ法」？

ジョージア州の新たな法律は「現代版のジム・クロウ法だ」という批判が、民主党などから上がっています。これは、どういうものなのでしょうか。

「ジム・クロウ」は、一九世紀半ばに人気となった大衆向けショーに登場する黒人の名前。実際は白人が演じ、顔を黒く塗って、白人の偏見による「黒人らしさ」を強調するものでした。ここから転じて、黒人差別の象徴の名前になりました。

この名前を冠した法律はどういうものか。南北戦争後、リンカーン大統領による「奴隷解放宣言」で奴隷でなくなった黒人たちを差別するために作られた法律の総称です。とりわけ黒人たちが投票できないようにするために工夫が凝らされました。

どんな工夫があったのか。建前としては「黒人差別ではない」という形をとった法律です。

まずは「知能テスト」。投票するに当たって、州の憲法を読んで理解できるかを問うたり、州の最高裁の判事全員の名前を書かせたりする試験に合格する必要があるというものでした。

奴隷から解放されたばかりの黒人たちは、十分な教育を受けておらず、読み書きができない人が多かったため、このテストで黒人たちを門前払いできました。

でも、このテストだと、白人もパスしない可能性があります。そこで制定されたのが「父祖条項」です。これは、過去に父祖が投票権を持っていた者の子孫は知能テストが免除されるという条項です。過去に投票権を持っていたのは白人だけでしたから、白人は引き続き投票できるというものです。

また人頭税といって、一定の税金を納めていないと投票できないという制度を作ったところもありました。奴隷から解放されたばかりの黒人は税金など納められませんから、ここでも投票することができませんでした。

公正な選挙のあり方とは？

「黒人は投票できない」とは書いていない法律で黒人が投票できないようになる。これが「ジム・クロウ法」です。今回のジョージア州の法律が、まさに現代版の「ジム・クロウ法」ではないか、というわけです。

今回はジョージア州が問題になりましたが、実は全米五〇州のうち四七州で、同じような内容の法案が議会に提出されています。

しかし、こうした動きを批判する企業も続出しているのがアメリカらしいところです。四月一〇日、デルタ航空やアメリカン航空、ユナイテッド航空などの大手航空会社やスターバックス、ディスカウントストア大手のターゲットなど名だたる企業の経営者たちがビデオ会議を開き、法案を支持する政治家への寄付を中止したり、こうした法律を可決した州への投資を延期したりするなどの抗議行動に出ることを決めました。アメリカでは、企業も政治的な発言をするのですね。これもまたアメリカの一断面です。

16

保守化進む米最高裁

人工中絶をめぐる判決が生む大論争

アメリカは、本当に「三権分立」の社会なのだろうか。そんなことを考えてしまうのは、最近の連邦最高裁判所の判断が論議を呼んでいるからです。大統領が、自分の考え方と同じ人物を最高裁判所の判事に任命することで、従来の憲法判断を覆してしまうことが可能であることを示したのです。

二〇二二年六月二四日、アメリカ連邦最高裁判所は、一九七三年に当時の最高裁が人工妊娠中絶の権利を認めた判断を覆しました。今回の判決を、「妊娠中絶は認められない」という判決だと勘違いしている人もいるようなので、ここは整理しておきましょう。

今回の判決は、妊娠一五週を過ぎた胎児の中絶を禁止するミシシッピ州の州法を合憲と判断しました。これはミシシッピ州の中絶禁止の法律が憲法に違反しないと判断しただけで、すべての州で中絶を禁止すべきだと言ったわけではありません。今回の判決は、「憲法は中絶について何も言及していないので、憲法が中絶の権利を認めているわけではない。中絶を認めるかどうかは有権者と、選挙で選ばれた代表の判断に委ねるべきだ」というものなのです。

つまり、中絶を認めるかどうかは、各州の州議会が判断すべきだというわけです。

これまでは一九七三年の最高裁の憲法判断で、中絶を選ぶかどうかは国家から個人の行動が制約を受けないプライバシー権に含まれているとされていました。そして、胎児が子宮の外で生存できるようになるまでは中絶は認められると判断していました。この基準は、現在の医療水準では「妊娠二二週から二四週頃よりも前」とされています。逆に言えば、それより後の中絶は認められていないということでもあるのですが。

今回の憲法判断で、各州の州議会は、中絶を禁止する法律を自由に制定することができるようになりました。その結果、早くもケンタッキー州やミズーリ州など七つの州では中絶が禁止されました。こんなに早く禁止できたのは、事前に最高裁の判断次第で直ちに効力を発揮することができるように法的準備をしていたからです。

これらの州では、たとえレイプや近親相姦による妊娠であっても中絶は認められません。さらにテキサス州の法律は、中絶手術をした医師は最高で終身刑になる可能性まであるものになっています。また、オクラホマ州では中絶手術をした医師や、その支援をした団体や人物を、誰でも訴えることも可能です。

今後、同様の判決を成立させる動きを見せている州を合わせますと、二六州で禁止される見通しです。全米五〇州のうち半数を超えるのです。

連邦最高裁の判事は全部で九人。このうち保守派の六人がミシシッピ州の法律を合憲と判断し、リベラル派の三人が憲法違反だと主張しました。保守派の六人は、いずれも共和党の大統領のときに指名され、リベラル派の三人は民主党の大統領に指名されています。

命を巡る論争は続く

党派対立が裁判所に持ち込まれる

アメリカの連邦最高裁判所の判事は終身制です。いったん就任すると、弾劾されたり本人が辞任したりしない限り、死ぬまで務めることができます。判事を指名するのは大統領。指名を受け、判事に任命するかどうかを判断するのは連邦議会の上院です。保守派六人のうち三人は、トランプ大統領の時代に、共和党議員が上院の多数を占めていたので就任が認められました。

今回の判決を受けて、トランプ前大統領は、保守派の判事を指名した自身の功績を誇っています。

共和党は妊娠中絶反対の立場で、今回の判決について諸手を上げて歓迎しています。一方、民主党の場合はいろんな考えがありますが、概して中絶の権利は認めるべきだと考える人が多いのが特徴です。

そこで民主党は、二〇二二年一一月の中間選挙の際、「中絶の権利を守れ」というキャンペーンを実施しました。中間選挙では、連邦議会の議員ばかりでなく、州議会議員選挙も実施されます。州議会で多数派になれば、中絶を認める州法を制定できるというわけです。

アメリカで、これほどまでに中絶をめぐって対立するのは、日本にいるとなかなかピンときませんが、中絶を「胎児に対する殺人」と受け止める宗教保守派の勢力が強く、その勢いが最高裁の判事の間の対立にまで及んでいるのです。

立法、行政、司法は、それぞれ独立している。これが「三権分立」で、民主国家の屋台骨ですが、アメリカの場合、大統領という行政権と議会という立法権が、司法権に介入しているようにすら見えます。

一方、日本の場合、最高裁判所裁判官は一五人で七〇歳が定年。長官は内閣が指名し天皇が任命、一四人の判事は内閣が任命し天皇が認証します。一五人の内訳は、裁判官出身が六人、弁護士出身が四人、検察官出身二人、官庁出身者二人、法学者出身一人というのが慣例となっています。判事が定年を迎えると、最高裁が後任の候補を提示し、内閣が決定するのが慣例です。この結果、アメリカのような党派対立が裁判所に持ち込まれることはありません。

ちなみに日本では、中絶については「母体保護法」で条件が定められています。手術を受けられるのは妊娠二二週未満までで、身体的、経済的な理由または暴行や脅迫による妊娠の場合が条件です。

今回のアメリカ連邦最高裁の判決は、今後も大きな論議を呼びそうです。というのも、保守派のうちクラレンス・トーマス判事は、「夫婦が避妊具を使う権利を認めた過去の判例の見直しもすべきだ」と主張しているからです。

「夫婦が避妊具を使う権利」など当たり前だと思うかも知れませんが、過去には、コネチカット州の法律が禁止していたことがあります。連邦最高裁が一九六五年に違憲判決を出していますが、今後はこれが再び裁判になる可能性が出てきたのです。

17

なぜワクチン接種を嫌うのか

接種義務化が決して望まれない2つの理由

新型コロナウイルス感染症に対し、日本ではワクチン接種がそれなりに進みましたが、アメリカでは、そもそもワクチン接種を望まない、あるいは忌避する人たちが大勢いることが報道されました。これに危機感を持ったバイデン大統領は、従業員が一〇〇人以上の企業に対し、従業員にワクチン接種か週一回の検査を義務付けようとしましたが、連邦最高裁は二〇二二年一月、この施行の差し止めを命じる判決を下しました。

その理由は、義務化された場合、管轄することになる政府の労働安全衛生局には「公衆衛生を規制する権限はない」からだというのです。

日本ではワクチン接種を政府が推奨はしていますが、義務化しようという動きまではありません。そのせいなのか、「ワクチン接種反対」を主張する人はいても、それほどの問題にはなりません。

ところがアメリカではマスクやワクチン接種の義務化をめぐって対立することがよくあるの

です。

今回の連邦最高裁の判決では、共和党の大統領によって任命された保守派の判事六人が義務化反対、民主党の大統領によって任命されたリベラル派の判事三人が義務化容認と判断が分かれました。

アメリカ国民についても、民主党支持者の多くがワクチンを接種しているのに対し、共和党支持者の接種の割合は高くありません。ワクチン接種の有無は支持政党によって大きく分かれているのです。

どうしてなのか。アメリカでワクチン接種に反対する人がいるのは、今回に限りません。『自由の国と感染症』(ヴェルナー・トレスケン著、西村公男・青野浩訳)によると、実は天然痘のワクチン接種をめぐっても対立が起きていたというのです。

たとえば一九一八年にノースダコタ州最高裁判所の判事に選出(同州の裁判所判事は州民の選挙で選出される)された人物は、州内のある教育委員会が入学前の生徒に天然痘のワクチン接種証明の提示を求めていたことに対して、これを違法と断じました。判事によれば、〈ワクチン接種が実施され続けたのは、権威と利益に目がくらんだ医師らによって「宗教的教義として広められ、採用された」からであり、また親たちが無知すぎて、子供たちがどんな医療行為をされているのか理解できなかったからであった〉というのです。

この判決の結果、ノースダコタ州ではワクチンを接種していない子供が公立学校に通うのを州当局は拒否できなくなり、接種を強制した他の州に比べて天然痘による死亡率が約一〇倍も高かったというのです。

〈当時すでに世界で最も豊かで、科学技術の最も発達した民主主義国家であったアメリカは、天然痘をはじめとする伝染病の根絶において、貧しくまたしばしばアメリカほど博愛主義的でもない社会に遅れをとっていた〉

それはどうしてなのか。

ワクチン接種拒否は「基本的権利」

その理由は二つ。基本的権利を重視する考え方と宗教的信念です。

〈反ワクチン主義者は、公的ワクチン接種プログラムを拒否し抗議する権利を、言論の自由や私有財産権と同じくらい基本的な権利だと考えていた〉からなのです。

ある反ワクチン主義の活動家は、合衆国憲法を引用し、〈強制的天然痘ワクチン接種は「医療の奴隷」になることに等しく、憲法はそのような強制から国民を守ってくれる〉と主張しました。

ワクチンの接種を受けるかどうかは本来個人の自由であるべきで、それを強制するのは個人の基本的人権を侵害することになる、という考え方です。ワクチン接種くらい、そんなに大上段にふりかぶらなくても、という考えは通用しません。何よりも個人の自由を大切にする。政府に介入させない。これは「小さな政府」を志向する共和党の考え方と共通するものがあります。ワクチン接種は国民の健康を考えてのことだからと政府が介入するのは「大きな政府」の考え方。国民のためになるなら「大きな政府でもいい」という民主党の考え方と親和性があります。

自由であるがための「NO」

ワクチン接種の義務化が人権の侵害になると考える人が多ければ、義務化を支持する裁判所の判断を否定する法律が制定されます。

〈ミネソタ州、サウスダコタ州、ユタ州の裁判所が、地方の教育委員会がワクチンを受けていない児童を学校から排除することを支持した直後に、これらの州の議会は、地方の教育委員会がワクチンを受けていない児童の学校への立ち入りを拒否できないようにする法律を制定した。つまり、アメリカの政治制度は代議制民主主義だったので、ある政策がその地域の好みや考え方に合わなければ、その政策はすぐに変更されたのである〉

改めて確認しておきますが、このワクチンとは、コロナ対策ではなく天然痘用なのです。

そして、もうひとつが宗教的信念です。ワクチンを接種するというのは、「神の御心」に反すると考えるキリスト教保守派の人たちです。

この人たちは、天変地異を神の罰と考える傾向があります。感染症も感染することが避けられないように見えるので、神による罰と考えるというわけです。

〈天然痘が不道徳な生活に対する天罰ならば、ワクチン接種は忌避すべきものとなる。なぜならワクチン接種は神の懲罰の意志を回避する行為であり、清潔で道徳的な生活をしようとする動機を損なうからである〉

ワクチンを接種する行為は神の懲罰を逃れようとするずるい行為であり、不健康な生活を続けようとする意図がある、というわけです。

アメリカでは、この思考法の伝統がいまも受け継がれ、コロナの感染者と死亡者が増えたのです。

18

IPEFとはなんだ?

「インド太平洋経済枠組み」はこんなにユルユル

またもアルファベットの略語が登場しました。IPEF(アイペフと発音)です。時事問題が出題されることが多くなった中学入試に出そうですよ。そこで、これくらいは知っておいた方がいいですね。

これは、二〇二二年に訪日したアメリカのバイデン大統領が発足を宣言したものです。日本語にすると「インド太平洋経済枠組み」という意味になります。バイデン大統領は、「インド太平洋地域の国々の力強く公平な経済成長に向けて、我々が二一世紀の経済ルールを作っていく」と高らかに謳い上げました。

でも、経済協力の仕組みなら、TPPやRCEPやらがあるのに、なぜまた屋上屋を架すようなものを作ろうというのでしょうか。そこにはTPPから離脱させられてしまったことへのリベンジと、対中国包囲網を形成しようという意気込みがあります。

そもそも経済協力とは、貿易で高い関税をかけるのを止め、貿易を活発にすることで互いに利益を得ようというものです。国際的な機関としてはＷＴＯ（世界貿易機関）がありますが、一六四もの国と地域が加盟した結果、参加国が多すぎて互いの利益が交錯し、新しい貿易協定ができません。

そこで、ＷＴＯとは別に利害の一致する国同士で貿易に関する協定を結ぼうという動きが活発になりました。それがＦＴＡ（自由貿易協定）とＥＰＡ（経済連携協定）です。ありゃ、また三文字の略語の登場です。

ＦＴＡは、特定の国や地域の間で関税をなくしたり減らしたりする約束です。ＥＰＡは、関税に加え、著作権など知的財産の保護や投資のルールも決めようというものです。

日本は二〇〇二年に初めてシンガポールとの間でＥＰＡを結び、その後、メキシコ、マレーシア、チリ、タイ、インドネシアなどと次々にＥＰＡを結びました。この結果、たとえばチリからワインを安く輸入できるなど消費者にとってメリットが増えてきました。

こうした中でアメリカは二〇一〇年からＴＰＰ（環太平洋経済連携協定）を結ぼうと各国に働きかけました。太平洋を取り巻く国々で経済協力を進めることで、アジア太平洋地域で影響力を増している中国を牽制する狙いがありました。

その結果、バイデン大統領がオバマ政権で副大統領だった二〇一六年にアメリカや日本、カナダ、オーストラリアなど一二カ国が協定に署名しました。

ところが、二〇一七年にトランプ氏が大統領に就任すると、「アメリカ・ファースト」をスローガンにTPPから離脱してしまいます。

実はトランプ氏は、共和党の大統領候補選びの討論会で、「TPPは中国の陰謀だ」と主張し、他の候補から「TPPに中国は入っていない」と指摘されて黙ってしまったというエピソードがあります。つまりTPPがどんなものか知らないまま、大嫌いなオバマ大統領が作り上げたものだから潰そうとしたのです。

緩やかな「対中包囲網」

実はとっても緩いIPEF

大統領選挙が白熱すると、トランプ氏は、「TPPに入ると関税を下げるので、アメリカにさまざまな商品が安く入ってきて、アメリカの農家や企業が損害を受ける」と主張。「自分が大統領になったら、就任初日にTPPから離脱する」と宣言。それを実行したのです。TPPを推進してきたバイデン氏にとって屈辱でした。

バイデン氏は大統領になってＴＰＰに再加入することでリベンジを果たしたかったのですが、トランプ前大統領がＴＰＰの悪口を大宣伝した結果、アメリカの世論も「ＴＰＰは悪」というイメージを持ってしまいました。

その間にＴＰＰはアメリカ抜きの一一カ国で発足。その後、中国が加盟を申請しました。中国が加盟すれば、アメリカの「中国を牽制する」という狙いが実現しません。

その一方で、中国が交渉を主導したのがＲＣＥＰ《アールセップ》（東アジア地域包括的経済連携）です。日中韓とＡＳＥＡＮ（東南アジア諸国連合）やオーストラリアなど一五カ国が参加して、二〇二二年一月に発効しました。こちらもアメリカ抜きです。これではアジア太平洋は中国のものになってしまう。焦ったバイデン大統領が苦し紛れに打ち出したのがＩＰＥＦというわけです。

ここで注目するのは「枠組み」という名称です。協定のように縛りが厳しくないので、参加各国が議会で承認を得る必要がありません。各国は気軽に参加できるのです。その結果、ＴＰＰにもＲＣＥＰにも入っていないインドを引き込むことに成功。計一三カ国で発足し、その後フィジーも参加して現在一四カ国です。

なぜインドが参加したのか。ＴＰＰやＲＣＥＰは関税を引き下げなければならないので、安い農産物が入ってくることに国内の農家が反発しているのですが、ＩＰＥＦは、関税を削減したり投資を活発にしたりすることは内容に入っていないのです。ＩＰＥＦの内容は四本柱。公平な貿易。サプライチェーン（供給網）の強化。インフラ整備・脱炭素。反汚職。なんだかピンと来ないような抽象的な目標に留まっていますね。

しかも、加盟国は、全部の項目を了承しなくてもいいのです。賛成できる内容があって、それだけを守ってもらえれば、ほかの項目にも参加しろとは言いません、というものなのです。実に緩やかでしょう。

肝心なのは「インド太平洋」地域という名称。中国を入れないで対中国包囲網を形成しようということです。その点でインドが参加したことは成果になります。

さて、こんなにユルユルな取り決めで、大きな成果が上がるのか。結果を出せるかどうかは、これからの話し合い次第。中国の影響力を排除しつつ、自由な貿易ができる仕組みを作り出すことができるのか。日本の責任は大きいのです。

19

アメリカ、サウジに激怒

バイデン大統領の面子を潰したOPEC解体へ？

国家指導者の面子を潰すと、激怒した指導者は猛反撃に出る。二〇二二年一〇月、ロシアのプーチン大統領は誇りだったクリミア大橋が爆破されたことに激怒。ウクライナによる犯行だとしてウクライナ各地にミサイルを撃ち込みました。面子が丸潰れだったからです。

でも、面子を潰されて怒ったのはアメリカのバイデン大統領も同じ。ただし、対象は中東のサウジアラビアです。サウジを盟主とするOPEC諸国が石油（原油）の減産を決めたからです。

OPECは石油輸出国機構の英語の頭文字。石油の産出国によるカルテルで、協力して石油の産出量をコントロールしています。石油の値段が下がれば、協調して産出量を削減。そうすれば、「需要と供給」の関係で石油の値段が上がります。これで大儲けするわけです。

一方で、値段が上がり過ぎると、石油が買えない国が出てくる恐れがあるので、産出量を増やして石油価格を下げます。

このグループに入っているのはサウジアラビアやUAE（アラブ首長国連邦）、クウェートなど一三カ国です。でも、OPECに入っていない産油国もあるので、OPECが石油の産出量を削減しても、他の国が生産を増やしたら、石油価格がうまくコントロールできません。そこで最近は、OPEC以外の産油国も参加して産出量を決めています。この集まりのことを「OPECプラス」と呼びます。「プラス」に入るのはロシアやメキシコ、バーレーンなど一〇カ国です。

とはいえ、OPECの盟主であるサウジアラビアと、プラスの中心国ロシアが主導して産出量を調整しているのが実態です。

このOPECプラスが同年一〇月五日、一一月から日量二〇〇万バレルの減産を実施することで合意しました。この減産量は、世界の需要の二%に該当します。この発表があった途端、石油の国際価格は大きく上昇しました。これにバイデン大統領が怒っているのです。というのも、バイデン大統領は同年七月、サウジアラビアを訪問し、サウジの実力者であるムハンマド皇太子に石油の増産を依頼していたのに、逆に減産されてしまったからです。

ムハンマド皇太子と言えば、二〇一八年、サウジ政府に批判的な記事をアメリカの新聞に書いていたジャマル・カショギ記者がトルコのサウジアラビア総領事館の中で殺害された事件について、アメリカの情報機関は「皇太子が殺害を承認していた」という報告書を公表しています。

これに対してサウジアラビア政府は「事実無根だ」と反発。両国の関係は悪化していました。

ところが二〇二二年二月、ロシアがウクライナに軍事侵攻したことで、石油価格が高騰。アメリカでは物価が上昇し、一一月の中間選挙を前にバイデン政権は無力だという批判が出ていました。そこでバイデン大統領は恥を忍んでムハンマド皇太子に増産を頼んでいたのです。

米、サウジへの武器輸出を再考へ

バイデン大統領にしてみれば、カショギ記者殺害の責任追及を棚上げしてまで、ムハンマド皇太子に膝を屈し、石油増産を頼んでいました。これにはアメリカ国内で「人権より石油の方が大事なのか」という批判も出ていました。そんな屈辱外交をしたのに効果がなかったのですから、バイデン大統領の面子が潰されたというわけです。

ロシアがウクライナに侵攻したことをきっかけに国際的に石油価格は上昇しましたが、アメリカが国家として備蓄していた石油を放出したり、アメリカ国内の石油生産を増やしたりした結果、石油価格は落ち着きを見せていました。

しかし、石油の産出量を削減して石油価格が上昇すれば、ロシアにとっては増収になり、戦争を継続する費用を賄うことができます。つまりアメリカにとっては、「ロシアを利する行為だ」というわけです。

これに対しサウジ政府は、「ロシアのウクライナ侵攻の結果、国際的な不況になることが予想される。不況になれば石油が売れなくなって国家の収入が減ってしまう。それを防ぐための生産削減だ」と説明しています。こんな理屈をアメリカは認めないでしょう。

　これまでアメリカとサウジアラビアは、特殊な関係で結ばれていました。アメリカがサウジアラビアから大量の石油を購入して多額のドルを支払うと、サウジはその金でアメリカの最新兵器を大量に購入していました。これにより、アメリカがサウジに払ったドルは還流。両国はウィンウィンの関係だったのです。このためサウジ国内で女性の人権がないがしろにされていたり、死刑囚に対する公開処刑が行われたりという人権問題があっても、アメリカは目をつぶって兵器を売っていました。

石油と武器が取り持つ関係

　ところが今回の〝裏切り〟で、バイデン政権やアメリカ議会は、サウジとの関係の見直しを始めました。

　まず問題になるのは、武器輸出です。ロ

シアの味方をするような国にアメリカ製の武器を売ってもいいのか、という理屈です。今後、武器輸出が禁止される可能性があります。

また、アメリカ議会の議員の中には、サウジとUAEから米軍兵士を撤退させ、サウジやUAEを防衛するのを止める法案を提出する動きも出ています。

さらに注目されているのが「NOPEC法案」。これは石油生産でカルテルを結んでいるOPECプラスの国を、アメリカ国内の裁判所に訴えることができるというものです。

この裁判でOPECプラスの国が有罪になった場合、アメリカ政府は、その国がアメリカ国内に持つ資産を凍結することが認められています。OPECによるカルテルを認めないということは、アメリカがOPEC解体を目指すという方針にエスカレートする可能性があります。果たしてOPECは存続できるのか。重大な局面を迎えそうです。

特別対談
②
マイケル・サンデル
ハーバード大学教授

「能力主義が世界を分断させた」

「白熱教室」でおなじみの教授が二一年に出した著書で提起したのは、「能力主義は正義か？」という問いだった。二人は、「トランプ現象」以降のアメリカの現実と、社会の分断を是正する方策について、存分に語り合った。

Michael J. Sandel／1953年生まれ。ハーバード大教授。ブランダイス大卒業後、オックスフォード大で博士号取得。専門は政治哲学。テレビ番組「ハーバード白熱教室」でも知られる。著書に『これからの「正義」の話をしよう』など

池上　サンデル先生の著書『これからの「正義」の話をしよう』が世界中でベストセラーになった二〇一〇年、私はボストンのご自宅へお邪魔して、インタビューをさせていただきました。少年野球のコーチをなさっていたときの写真を拝見して、地元のボストン・レッドソックスの熱烈なファンでいらっしゃるお話も伺いました。

サンデル　我がレッドソックスは先日、ショウヘイ・オオタニに酷い目に遭わされましたよ

（笑）。

池上　ご同情申し上げます（笑）。さて、新刊の『実力も運のうち　能力主義は正義か？』も、日本だけで七万部のベストセラーになっています。

サンデル　実は、これほど成功するとは思っていませんでした。読者層に対する痛烈な批判になっているからです。

池上　原著のタイトルを直訳すれば「能力の独裁」。平等な社会を作る条件だと考えられている「能力主義（メリトクラシー）」が、実は格差や不平等を生み、エリートを傲慢にさせ、社会に分断をもたらしていると書かれています。

サンデル　この数十年の格差拡大で、勝者と敗者の溝は次第に深まり、勝者は実力によって現在の地位を得たという驕りを持つようになった。自分がその境遇にふさわしいと考えれば、底辺にいる人々もその境遇にふさわしいのだという独りよがりに陥ります。

池上　サンデル先生の読者は、アメリカでも日本でもそれなりに高学歴で、自分の能力で成功したと思い込んでいる人たちが多いはずです。この本を読んで、ビックリするのではないですか。

サンデル　はい。本書は、私自身が在籍しているハーバードのような大学に対し批判的立場をとっています。こうした大学が社会的ステータスを含めた格差を生み出すことに加担しているからです。ハーバードやスタンフォードといった有名大学の学生の三分の二が、上位二〇％

の富裕層の出身だという調査がある。これは東京大学や慶應大学においても同じ。その上アメリカでは、卒業生や大口寄付者の子息を優先的に入学させる制度が、裕福な家庭出身の学生を増やしていています。

池上　さらに「能力主義的なおごりの最もいら立たしい特徴の一つは、その学歴偏重主義」だと書いていますね。

サンデル　学歴偏重主義がなぜ間違いかと言うと、日本でもアメリカでも、国民の半分が大学を卒業していないという現実を忘れがちだからです。また、所得規模で下位五分の一に生まれたアメリカ人のうち、上位五分の一に達するのは二〇人に一人だというデータもある。能力主義は貴族社会のように権力と富を世襲化し、機会の平等が社会的流動性をもたらすという理想を失わせているんです。

池上　無一文から大金持ちになるという〝アメリカンドリーム〟は、もはや人々を勇気づけないわけですね。

サンデル　有名大学の学生たちは、自分たちが恵まれた環境に運よく生まれたことに気づくべきです。

勝者も代償を支払っている

池上　私は教授として教えている東京工業大学で、学生や卒業生と一緒に読書会を毎月開いています。六月はサンデル先生のこの本をテキストにしました。「君たちは、自分の努力と実力でいい大学に入ったと思っている。しかし、この本には、それは運によると書いてある。君たちはどう読むのか」と問いかけたわけです。すると、学生から「確かに思い当たる節はあります。ではこの先、私たちはどうすればいいんですか」という質問がありました。どうお答えになりますか。

サンデル　私の学生もまさに同じような感想を述べたので、何度もディベートしてきた点です。池上さんと私の学生たちのためにこう答えましょう。

その職を全うするのに妥当な能力を持っているという意味では、実力があるのは非常にいいことです。もし私が手術を受けるなら、当然優れた医者にやって欲しいですから。

私が問題にしているのは、自分の成功を実力で勝ち取ったものだと信じ切ってしまうことです。すると、持たざる者はそれが妥当な状態なのだという驕った認識に至り、持つ者は持たざる者を助けるべきだという使命感を遠ざけるからです。

池上　別の学生からは、「能力主義があるからこそ、世の中が動いていく面もあります」という意見が寄せられました。

サンデル　人々を勝者と敗者に分けてしまう能力主義は不公平ですが、勝者の側に残れた人も実は代償を支払っている。これが、その学生への答えです。なぜなら競争社会には終わりがなく、東大や東工大やハーバードに入るためのプレッシャーは、信じがたく大きい。学生の中には、このプロセスで傷ついたり、精神を病んでしまったりした人がたくさんいるからです。

もうひとつ大きな問題は、いい大学を出ることが、お金儲けや社会的な地位を得るためのツールになっていることです。大学で学ぶことそのものの価値が、ないがしろにされています。能力主義社会では、大学が能力をふるい分けるための機関としてしか見られなくなっているのが、残念なポイントです。池上さんは、この意見に同意されますか。

池上　もちろんです。

サンデル　自らが上げた成果において幸運の果たした役割をきちんと理解すれば、謙虚さを持つことができる。そうすれば、自分たちとは違う形で社会に共通善の貢献をしている人々に対して、リスペクトが生まれます。

池上　そうした人たちの代表が、いわゆる「エッセンシャルワーカー」ですね。新型コロナウイルスの感染拡大によって、医療従事者をはじめ、食べ物を生産したり、配達したり販売する人、老人や子どもの面倒を見てくれる人などの仕事に、焦点が当たりました。

サンデル　感染リスクを負いながらも現場へ行って働かなければいけない人たちを、突然エッセンシャルワーカーと呼ぶようになりました。そしてCOVID-19は、そもそも存在していた格差を露わにしました。在宅勤務ができる人と、できない人や失職してしまった人との間には、無視できない格差があります。

格差を縮める最速で最善の道

池上　コロナをきっかけに、世の中はこういう人たちを大切にする方向へ変わるとお考えですか。

サンデル　ターニングポイントになる可能性を秘めていると思います。エッセンシャルワーカーに対する感謝の気持ちが生まれたのは当然ですし、我々が彼らの存在と価値に気付いたことを忘れて欲しくありません。けれども彼らの待遇は、決してよくありません。仕事に見合う給料の額が、社会や政治の場で議論されるべきです。

池上　分断が進む社会の統合に向けて、エッセンシャルワーカーに対するリスペクトが必要だとおっしゃるのはわかります。しかしそれだけだと、精神論やスローガンで終わってしまいませんか。リスペクトや労働の大切さを保証し、担保していくための制度設計には、何が必要でしょうか。

サンデル　労働者たちが感じてきた不服や不満は、非常に妥当なものです。大学を卒業していなくても社会に非常な貢献をしている人々が、よりよい生活を送るためにどうしたらいいか。たとえばアメリカの税制はキャピタルゲインや利子に対する税率が、実際に仕事をして得た給与の税率よりもはるかに低い。これは経済の話というより、倫理的、人道的な問題だと思います。

世界全体が金融化され、流動的な大量のマネーが、デリバティブの超高速・高頻度取引といった、実際の経済に寄与しない投機に回されています。そこに税金を課すことで労働者へお金を回す仕組みを作る、などの実証実験もいいのではないでしょうか。個々の政策は簡単には合意に至らないかもしれませんが、議論を始めることが重要です。

池上　ただし、税制をどうするか決める政界の人たち自身が、自分の能力によって地位を築いたと思っているエリートです。

サンデル　社会の上に立つ者がその成功の意味を自らに問わないことには、分断を是正することは難しいでしょう。大学の役割や社会にとっての利益、すなわち共通善について考え直すことが必要です。

掲げるべきスローガンは、「労働の尊厳」。どんな職もリスペクトを得られて当然であるという理念こそ、格差を縮めるための最速で最善の道だと考えます。

池上　サンデル先生は二〇一六年の米大統領選で、トランプ氏が低学歴の労働者層の支持を集めて当選した現象を見て、この本を書こうとお考えになったんですね。

サンデル　その通りです。トランプ氏には大学の学位を持たない白人の三分の二が投票しており、ブルーカラーと呼ばれる労働者階級の支持を得ました。

昨年も七四〇〇万人がトランプ氏に投票しました。過去四年間、こうした労働者を援助し生活を向上させるような政策はなかったにもかかわらず、です。

なぜ彼らはトランプ氏を支持したのか。その理由は、トランプ氏が非常に高度な教育を受けたエリートに対する、労働者の不満や憤慨、そして嫌悪感といった感情にうまく訴えかけたから。これはトランプ現象だけでなく、世界各国でポピュリスト（大衆迎合主義者）の政治家が使う戦略です。トランプ氏は「私は学歴が低い人たちが大好きだ！」と言い放ちました。

池上　ただ、トランプ氏自身は、アイビーリーグのペンシルベニア大学ウォートン・スクールという名門校出身です。なぜ、その彼が学歴の低い人たちの心を摑むことができたのですか。

サンデル　労働者たちの不満は、エリートに見下されていること。グローバリゼーションとテクノロジーから取り残され、成功できなかったのは自分自身のせいだと決めつけられて屈辱と怒りを募らせていました。また自分たちの仕事が社会から認められず、感謝されていないと感じていた。彼らの怒りの矛先は、単なるお金持ちや高学歴者ではなく、弁護士や医者、学者など能力主義社会でもっとも大きな恩恵を享受した、教養のあるエリート層に向けられていました。トランプ氏は、そういったエリート層に所属しているとは見なされなかったのです。

トランプ誕生の原因は民主党

池上　この本には、トランプ氏のスピーチが小学校四年生の語彙レベルだという分析や、世界情勢に関する理解が五、六年生並みだったという国防長官の談話が紹介されています。

サンデル　労働者とトランプ氏には、もうひとつ興味深い共通点があります。トランプ氏はニューヨークで不動産業を営んで成功を収めたわけですが、ウォール街の金融エリートやメディアから常に見下されていると感じながら生きてきました。ですから政治エリートに対する彼の批判は、労働者の共感を呼んだのです。

池上　トランプ大統領を誕生させた理由について、オバマ元大統領やヒラリー・クリントン候補にも原因があったと、厳しく指摘していますね。

サンデル　実は、私は大統領選でオバマ氏に二回、一六年はヒラリー氏に投票しましたが、彼らは過去四〇年間溜まっていた労働者の不満を理解していなかった。オバマ氏のキャッチフレーズは「やればできる」でした。「努力と才能次第で誰でも成功できる」というのは、素晴らしいスローガンに聞こえます。しかし、多くの人が職を失ったり、給料も上がらなかったりする状況で、政治家がこうしたメッセージを発信することは全く不適切です。

池上　「努力した者が成功する」という考え方を裏返せば、「成功していない人は努力をしなかった。だから自業自得だ」と烙印を押すに等しい。それが能力主義の弊害ですね。

サンデル　はい。しかも、ヒラリー氏は一六年の選挙で修士号や博士号を持つ有権者の七〇％超の票を得ました。彼女は敗戦後に「私はアメリカのＧＤＰの三分の二に相当する地位を獲得しました」と言ってのけた。ここに彼女の能力主義的な驕りが表れています。またビル・クリントンからオバマ時代の民主党政権は、金融の規制を緩和し、リーマンショックの際も投資銀行を救う代わりに個々の人を見捨てました。拡大する格差の解消に、救いの手を直接差し伸べることはなかったんです。

池上　バイデン大統領が、同じ失敗を繰り返さないでやり通せる可能性はあるでしょうか。

サンデル　あると思います。アイビーリーグ出身ではない民主党の大統領候補は、三六年ぶりでした。このこと自体、民主党が能力主義に偏ってきた証です。しかしバイデン氏は労働者階級の票も集めて当選した。大統領に就任後も、「頑張れば達成できる」といったスローガンは口にせず、むしろ汗を流して働くことの価値に言及しています。

新しい希望を得るためには

池上　具体的な政策は、どうでしょうか。

サンデル　バイデン大統領が労働者階級にフォーカスを当てている政策が、二つあります。

ひとつはCOVID-19に関する助成金で、一・九兆ドル（約二〇〇兆円）が充てられています。貧困層の家計への現金給付や、企業の給与支払いの肩代わりなどをターゲットにしています。トランプ氏と異なり、必要なところにお金を回しています。

二つ目はインフラ投資です。アメリカは道路や鉄道、水道や高速通信網などの社会インフラへの投資が不十分です。そこで八年間で合計一・二兆ドル（約一三〇兆円）規模の投資をすることにしました。建設工事などで、労働者の職を創出する効果も生まれます。

池上　今回の本で、運のよさを自覚して謙虚になることの大切さがよくわかりました。日本の政治家はあまり本を読まないのですが、ぜひ手に取ってもらいたいところです。

サンデル　日本はアメリカや欧州より平等な社会だと、私は思っています。不平等と格差が拡大し、絆が崩れて連帯が失われていく社会には、どれほど大きな問題が生じるのか。アメリカが陥っている状況を理解していただき、社会の分断の両側にいる方々に考えて欲しいと思います。

実力も運のうちということに気付いた皆さんが、働くことそのものの尊さを認識して、そこから新しい希望が得られることを、心から願っています。

（二〇二一年八月一二・一九日号掲載／構成・石井謙一郎）

第3章

「習近平の中国」そこからですか!?

20 習近平はいつまで君臨？

独裁色を強める69歳の〝引き際〟

自分は一体いつまで現役で働けるのか。六〇代になった人の多くが自問自答するテーマではないでしょうか。多くの企業が定年を六〇歳に据え置きながらも、六五歳まで働けるようにしています。ただし、六〇歳を過ぎると、給料は半減したり、昔の部下の下で働かなければならなくなったりしています。

そうなると、まだまだ働くか、それともリタイアしてしまうかと悩むのではないでしょうか。

こんな高齢者の様子を、周囲の若い人たちは、どんな思いで見ているのでしょうか。「まだまだお若いですから、引き続き仕事を頑張ってください」と言いながらも、心の内では、「さっさと引退して後進に道を譲ってほしい」と思っている人もいることでしょう。

でも、この人物が社内で強い力を持っていれば、こんな本音は誰も言えません。誰も引退を直言できないままになってしまう。

その一方で、高齢者の側も、「まだまだ残ってください」と後輩たちに言われるのは嬉しいけれど、それは本心だろうか、それとも口先だけのものなのかと疑心暗鬼に駆られているかも知れません。まことに自らの出処進退の決断は難しいものです。

さて、こんな悩みを中国の習近平国家主席は持っているのでしょうか。というのも、二〇二二年一〇月に開かれた中国共産党大会で、習氏の任期延長が決まったからです。

中国は中国共産党による事実上の一党独裁が続いています。「事実上」というのは、実は共産党以外に八つの政党が存在しているからです。ただし、この八党はいずれも党の規約で「中国共産党の指導に従う」と明記しています。ほかの政党の指導に従う政党など噴飯もの。要は「中国はいろんな政治勢力の存在を認めている」という形をとるためだけのものなのです。

その中国共産党のトップは総書記。総書記が中国の国家元首である国家主席に就任します。総書記に任期制限はありませんが、国家主席に関しては、以前は「二期一〇年」と憲法に定められていました。ところが、二〇一八年三月に規定が撤廃されました。過去の国家元首は、この規定に従って引退してきましたが、習氏は二〇二三年に二期一〇年を迎えても、その後も続投できるようになったのです。

総書記の任期制限はないと言いましたが、慣例は存在してきました。それが「六八歳定年制」です。共産党大会が開かれる時点で六八歳以上になっていれば、自ら退くという暗黙のルールです。習氏は二〇二二年六月一五日に誕生日を迎え、六九歳になりました。慣例なら退くタイミングなのです。

でも、本当に退くつもりなら、憲法を改正してまで国家元首の任期規定を変える必要はありませんでした。だから辞めなかったのです。

一段と独裁色強まる

慣例としての「六八歳定年制」の導入は、かつて毛沢東の独裁を許してしまったという苦い経験を教訓として行われました。

中国建国の父とされる毛沢東は、八二歳で亡くなるまで共産党主席の座を離れませんでした。事実上の終身制になっていました。共産党主席とは、当時の役職で共産党のトップに君臨するポストです。誰も逆らえず、毛沢東が死ぬまで独裁政治が続いてしまいました。その結果、文化大革命などさまざまな混乱を引き起こしてしまったという反省から、党主席のポストを廃止し、集団指導体制に移行しました。政治局常務委員九人の多数決で物事を決めるようにしたのです。その後、現在の習近平体制になってからは常務委員の数が七人に削減されましたが、多数決で決める仕組みは続いています。

つまり、習氏も七人の常務委員の一人。たとえば、ある決定が四対三の多数決で決まった場合、習氏が三人の少数派に属していると、自分の意に沿わない決定を実行しなければならないのです。実際には、ほかの六人は習氏に逆らわないような人物ばかりを配置していますが、絶対的な力を行使できないようにするブレーキの仕組みがあるのです。

ところが、最近の中国では、習氏に対する個人崇拝の動きが高まっています。中国各地に習氏の肖像画が掲げられ、小中高校では「習近平思想」を学ぶ教科書まで導入されました。まるで第二の毛沢東になる勢いです。

もはや第２の毛沢東？

また、毛沢東時代への反省から、終身制を阻止するために六八歳定年制の慣例をつくり、指導部の高齢化を防いできました。二〇一七年には、習氏と苦楽を共にしてきた盟友の王岐山氏が六九歳になっていたため、常務委員から退いています。

でも、ここまできたら、習氏は、「まだまだやれる」という思いを強くしているでしょう。そういえば、隣国ロシアも憲法を改正し、プーチン大統領が、今後も再選できれば、最長二〇三六年まで大統領の職に留まれるようにしてしまいました。習氏は、「プーチンよりは長く中国のトップにいたそこで、アメリカの作家マーク・トウェインの言葉とされている名言を贈ります。「お若いですねと言われたら、それはあなたが年をとった証拠だ」

い」と思っているかもしれません。

21

中国はなぜ台湾を狙うのか

毛沢東も成し遂げられなかった悲願が呼ぶ悲劇

アメリカ議会下院のペロシ議長が台湾を訪問したことに対し、中国が激怒。台湾を包囲する形でミサイルを使っての軍事演習を実施するなど、台湾情勢がキナ臭くなりました。なぜこんなことが起きているのか、基礎から考えましょう。

まずはアメリカと中国の関係です。第二次世界大戦後、国際連合が発足したときの「中国」とは中華民国でした。しかし国共内戦を経て、中華民国が統治できているのは台湾だけになってしまいました。大陸には中華人民共和国が成立しているのですから、中華民国が中国を代表しているというのには無理が出てきました。

アメリカは戦後、台湾と国交を結んでいましたが、やはり人口の多い大陸が経済面でも魅力的です。そこで一九七二年、当時のニクソン大統領が中国を訪問し、国交正常化に向けて話し合いを続けることで合意します。これにもとづき、実際に正式な国交が結ばれたのは、カーター大統領の時代の一九七九年でした。

これにより、アメリカは台湾と断交します。しかし、当時のアメリカの議会では「台湾を見捨てるべきではない」との声が強く、議会が、「台湾関係法」を成立させます。この法律は、「台湾人民の安全または社会、経済の制度に危害を与えるいかなる武力行使または他の強制的な方式にも対抗しうる合衆国の能力を維持」し、「大統領と議会」が「憲法の定める手続きに従い（中略）とるべき適切な行動」をすることを定めています（政策研究大学院大学・東京大学東洋文化研究所「日中関係資料集」より）。

要は「アメリカは台湾を防衛するよ」という意味なのですが、表現は曖昧です。もし台湾が中国から軍事攻撃を受けたとき、アメリカは本当に台湾を守ってくれるのだろうか。これが台湾の人たちの懸念です。

そこでアメリカ議会を代表する形で下院のペロシ議長が、「アメリカは必ず台湾を守ります」と約束したというわけです。

これは中国にとって「台湾という国内問題にアメリカが口を挟む内政干渉だ」となります。しかも時期が悪かった。中国共産党では、党大会を前にして共産党の現役指導者が、引退した長老たちを交えて人事を話し合う大事な会議が河北省の避暑地「北戴河《ほくたいが》」で開かれていました。

従来の慣習だと国家主席は二期で交代です。しかし習近平国家主席は、三期目も務めるという野心を持っていました。その人事を承認してもらおうという大事な会議の時期に、アメリカが台湾問題に首を突っ込んできた。これが習近平の受け止めでしょう。これでは長老たちから、

「習近平はアメリカに舐められているのではないか」と批判を受けかねません。自分の人事構想が実現しない危機に直面したはずです。面子を潰された習近平は激怒。一気に軍事演習に踏み切ったというわけです。演習は台湾を囲む形で六カ所同時に実施しました。将来、もし中国が台湾に軍事力を行使する場合、どのような方法を取るのかが「見える化」しました。

「台湾有事」となれば日本にも多大な影響が

台湾独立は「ありえない」こと

それにしても、なぜ中国は台湾を欲しがるのでしょうか。

それは、台湾の統一が、「建国の父」毛沢東でも成し遂げられなかった悲願だからです。

台湾は、中国にとって「帝国主義列強によって蹂躙された祖国」の象徴です。清の時代、イギリスによる「アヘン戦争」で香港を奪われ、さらに日清戦争で台湾を奪われました。屈辱の歴史です。屈辱を晴らし、中国が世界の大国であることを内外に示さなければならない。これが代々の中国共産党の「党是」でした。

中国の軍隊も、「人民解放軍」という名称を変えようとしていませんね。まだ「解放」すべき「人民」が台湾に存在しているというわけです。

現在の中国は、香港「回収」に成功しました。私たちは「香港返還」と言いますが、中国にとっては「回収」なのです。

香港の中には「香港独立」を叫ぶ勢力もありましたが、中国は、これを弾圧。着々と「中国化」を進めています。「次は台湾だ」というわけです。

第二次世界大戦後、中国共産党は国民党との間で内戦を繰り広げ、多大な犠牲を出しながらも国民党軍を台湾に追い詰めました。さらに台湾に攻め込むために、台湾の対岸に人民解放軍を集結させます。「さあ、あと一歩で祖国統一の偉業を成し遂げられる」となったところで、朝鮮戦争が勃発。中国は、北朝鮮を支援するため、台湾侵攻は一時棚上げ。人民解放軍を朝鮮半島に送りました。

当時の台湾は国民党の一党独裁で、独裁者の蔣介石が統治していました。蔣介石は、「いずれ大陸に反攻して中華民国を復活させよう」という野望を抱き、「中国は一つ」と主張していました。この点では中国共産党と同じだったのです。

しかし、蔣介石が死去した後、野党の存在が認められ、民主化を進めた李登輝総統の時代に民進党が大きく成長しました。遂には政権を獲得してしまいます。民進党は、もともとの主張が「台湾独立」でした。もし台湾が独立してしまったら、中国共産党の悲願は潰えます。それゆえ中国は民進党の蔡英文総統の政府に厳しく当たっているのです。

私たちからすると、「中国大陸は広大なんだから、台湾ぐらい独立させてもいいじゃないか」と思ってしまいますが、それはありえないのです。さらに中国にはチベット自治区や新疆ウイグル自治区など、独立をうかがう民族もいます。彼らを勢いづかせないためにも台湾独立はありえないというわけです。

とはいえ、本当に中国が台湾に軍事侵攻したら、これは悲劇です。ロシアによるウクライナ侵攻を見れば明らかです。何としても軍事衝突は避けなければなりません。「そんなことをしたら、中国経済は目茶目茶になるよ」と理性に訴えること。それしかできないのは歯がゆいのですが。

22

ゼロコロナ政策失敗は予言されていた

衝撃的だった若者たちの共産党批判

二〇二二年一一月末、アメリカの原油先物市場で原油価格が急落しました。何があったのか。その直前、中国各地で習近平国家主席の「ゼロコロナ政策」に対する大規模な抗議行動が起きたからでした。

中国で抗議行動が起きると原油価格が下がる。世界は本当につながっているのだなあと痛感します。

でも、これはどういう因果関係なのか。次のような連想が起きたのです。一一月二七日、中国の上海や北京の街頭で、白い紙を掲げた多くの若者たちが、「共産党、退陣！」「習近平退陣！」と叫びました。こんなにおおっぴらに共産党や習近平国家主席を批判する行動が起きるなど、これまでの中国を知っている者からすれば驚天動地の出来事です。これで中国は混乱に陥り、経済は低迷するのではないか。中国経済が低迷すれば、世界経済にも大きな影響が出て、石油の消費にブレーキがかかるのではないか。そうなれば原油価格は急落するだろう。

こんな連想が働いたのですね。原油先物市場とは、将来の原油価格を予想して行われる取引です。「原油の値段は下がるのではないか」と予想した人が多かったことを意味します。

若者たちの怒りが爆発したきっかけはサッカーのワールドカップだったと指摘されています。ワールドカップに中国チームは出場していませんが、試合の様子は中国国内で放送されました。観客席の応援風景を見ると、誰もマスクなどしていません。顔に自国の国旗のペイントをして大騒ぎをしているではありませんか。こんな様子を、ロックダウンされてしまった町に閉じ込められ、外出もままならない若者たちが見たら、どう思うのか。あまりに異常な中国のコロナ対応に気づいた若者たちの怒りが、一気に噴き出したのが、今回の抗議行動だったのです。

白い紙を掲げているのは、言論の自由がない国ならではですね。政治的主張などを書いた紙を掲げたら、すぐに連行されてしまうのがいまの中国です。白い紙なら何も書いていないから、何の政治的主張もしていないと言い抜けられるわけです。

何も書いていない紙が、中国の若者たちの思いを雄弁に語りかけてくれます。

ここで私が思い出したのが、二〇二二年一月三日に国際政治学者イアン・ブレマー氏率いる「ユーラシア・グループ」が発表した「二〇二二年の一〇大リスク」です。「ユーラシア・グループ」とは、政治リスクを調査するコンサルティング会社です。世界各国の大手企業を顧客とし、世界各国の政治や経済、安全保障について分析。そのデータを提供しています。もともとはブレマー氏自身が旧ソ連の政治を専門に分析していたことに由来してこの名前がありますが、いまは世界全体を見渡しての分析をしています。

ここが掲げた二〇二二年の一番のリスクは「中国のゼロコロナ政策の失敗」でした。これを見たとき、私は少し意外な感を抱きました。それまで中国は「ゼロコロナ政策の成功」を喧伝していたからです。

止めるに止められない「ゼロコロナ」

現時点で振り返ると、見事な予測でしたね。いまの中国の混乱を年初に予言していたのですから。

中国は、武漢で新型コロナウイルスの感染者が出ると、武漢の町を完全封鎖。新規感染者がゼロになるまでロックダウンを継続しました。世界中に感染者を出しておきながら、自国では感染者をゼロにしてしまう。独裁国家ならではの芸当でした。

それ以降、中国は「ゼロコロナは中国共産党の科学的対処法の成果である」と自賛していました。

ところが、その後、デルタ株やオミクロン株などウイルスが変異して感染力が強まると、ロックダウンを続けても感染拡大を抑え込むことができません。

それでもゼロコロナ政策を打ち切ることができなかった理由は、中国製のワクチンの効果が信頼性に欠け、「ウィズコロナ」の道を選ぶのはリスクが高すぎたからです。

中国は世界と競う形で独自にワクチンを開発。大量生産して世界各国に提供してきました。いわゆる「ワクチン外交」です。ところが、中国製ワクチンを打った中南米の国々では感染が拡大しました。ファイザーやモデルナのようなｍＲＮＡを使ったワクチンに比べて、効果が極端に低かったのです。現地では「水ワクチン」つまり「まるで水のようなもので効果がない」と不評です。中国政府もこれを知っているからこそ、ゼロコロナを維持しようとしてきたのでしょう。

封じ込まれていたことが明らかに

「ゼロコロナ政策」は習近平国家主席の功績とされています。その問題点を指摘できる人物など、現在の共産党政権の中にはいないのです。
実は「ユーラシア・グループ」の一〇大リスクの四位には「中国内政」が入っていました。習近平政権は異例の三期目に突入して独裁化を強めています。今回の共産党大会でも、幹部はみんな習近平の子飼いのイエスマンばかり。習政権に対するチェック機能が働かなくなっていることが大きなリスクだと指摘していました。一位と四位のリスク。まさにそれが顕在化したのです。

今回の若者たちの抗議行動を、一九八九年の天安門事件以来と表現するメディアもあります。それはそうなのですが、当時、天安門に集まった若者たちは共産党の支配に表立って反対していたわけではありません。若者たちに理解のあった、故・胡耀邦元総書記を正当に評価してほしいという動きから始まりました。若者たちは、広場で共産主義の革命歌「インターナショナル」を合唱し、共産党に反対していないことをアピールしていたほどです。

今回、共産党や習近平を公然と批判する動きが出たことは、共産党指導部にとって衝撃的な出来事です。独裁政権は、長期化すればするほど脆いものになっていく。今回の出来事は、まさにその象徴なのです。

23 中国でも遂にバブル崩壊

日本と同じ道をたどるのか?

バブルは、はじけて初めてバブルとわかる。こう言われているのですが、中国のマンションブームは、日本から見れば、バブルであることは明白でした。それが遂に白日の下にさらされることになったのです。深圳に本社のある巨大不動産会社「中国恒大集団《グループ》」が経営破綻の危機に直面したからです。「恒大」という名称でも大学ではありません。「恒《つね》に大きくなろう」という意味が込められています。その名の通り、大きくなろうという野心が強すぎて挫折してしまったようです。

この巨大企業は、二〇一六年には売上高で世界最大の不動産企業に上り詰めたこともあり、その後も不動産販売面積で中国二位。二〇二〇年の売上高は日本円で約八兆五〇〇〇億円にも上っています。電気自動車の販売も始め、強豪サッカークラブ「広州恒大」(現広州FC)も所有しています。全従業員は二〇万人に上ります。

この企業は、貧しい農村出身者が一代で築いたというチャイナ・ドリームの典型です。立志伝中の人物、それが許家印・元会長です。中国富豪者ランキングで五位です。

許氏は一九五八年に中国東部の河南省の農村で生まれました。母親は許氏が一歳の誕生日を迎える前に亡くなり、主に祖母に育てられたと伝えられています。

若い頃はセメント工場で働いたこともありますが、一九七〇年代後半に武漢鋼鉄学院（現在の武漢科技大学）に入学。卒業後、勤めていた貿易会社で不動産事業の立ち上げに従事。そこで得た知識を生かして一九九六年に中国恒大を創業しました。当初は低価格の小型マンションの建設・販売で頭角を現します。

そこにやってきたのが中国の不動産ブーム。高度経済成長で小金持ちが増え、マイホームの夢を実現しようという人が増えました。

中国の土地はすべて国有または農民の集団所有地です。売買できるのは土地の使用権だけですが、マイホームブームで価格は急上昇。その土地の上に建つマンションの価格も上がります。「土地価格が値下がりすることはない」という「土地神話」も生まれました。

当時、全国の各省トップの共産党委員会書記は、省内のＧＤＰの成長率で評価されていましたから、不動産ブームが起きれば、鉄材もコンクリートも、家具の数々も売れ、自分の成績評価の上昇につながります。「このままではバブルになる」と警戒する声もありましたが、各省が競争でマンション建設推奨に狂奔しました。

そこにやってきたのが二〇〇八年九月のリーマンショックでした。アメリカの大手投資銀行

（日本の証券会社に該当）リーマン・ブラザーズが倒産し、世界的大不況になります。

このとき中国は景気対策のために金利を大幅に引き下げます。こうなると、庶民も気軽に住宅ローンを組めるようになり、マンション建設はむしろ促進されました。リーマンショックでは、日本も含め世界各国が不況に苦しみましたが、中国はいち早く回復することに成功したのです。

夢の日々もいつかは終わる

まるで日本のバブル崩壊そっくり

不況対策で金利を引き下げた結果、不動産ブームが起きた。どこかで聞いた話ではありませんか。日本の円高不況対策を思い出します。

一九八五年、日米など五カ国の蔵相・中央銀行総裁が集まり、アメリカ経済の立て直しに協力するため、ドル安に誘導することで合意しました。いわゆる「プラザ合意」

です。ドル安は円高を意味します。急激な円高が進み、日本経済は不況になります。そこで日本銀行は金利を引き下げ。住宅ローンを組みやすくなり、不動産ブームが起きました。

土地価格の急上昇で、土地所有者の資産は増えますが、土地を持っていない人たちは、マイホームが買えなくなります。経済格差が拡大しました。「マイホームが買えない」という怨嗟の念に押され、当時の大蔵省は、土地価格の上昇を抑えるため、不動産の総量規制に乗り出します。金融機関に対し、「不動産を購入するための資金をあまり貸し出すな」と指導したのです。

不動産を購入する資金が手に入らなければ、不動産への需要は消失。土地価格は暴落し、土地を担保に資金を貸していた金融機関は不良債権の山に押しつぶされました。

これは中国も同じこと。マンションブームで部屋をいくつも購入して資産を増やそうという人が増えます。過熱を抑えようと、政府と各省が「一家庭が保有できるマンションの部屋は二つまで」といった規制をかけると、偽装離婚して、それぞれ二部屋ずつ購入する家族まで出る始末です。遂に中古マンションでも日本円で一億円を超える物件が出て来てしまいます。

中国は、かつての最高指導者・鄧小平の「先富論」つまり「金持ちになれる人間は先に金持ちになってもいい、いずれ富は全体に行き渡るから」という考え方をしてきましたが、格差が拡大し、政府への不満が出ていました。

そこで習近平国家主席が打ち出したのが、「共同富裕」。要は「みんな揃って豊かになろう」という方針です。格差をなくすためには、不動産投資で金儲けする連中を何とかしなければならない。そこで打ち出した方針が、不動産業界が金融機関から借りられる金額の規制です。消費者のマンション購入も規制を受けるようになりました。

その結果、不動産が売れなくなり、不動産会社の資金繰りは急激に悪化。中国恒大の建設中のマンションは次々に建設がストップしました。

どうですか、三〇年前の日本のバブル崩壊と同じような経路をたどっていると思えませんか。

ここでジレンマに陥っているのが習近平主席です。中国恒大が経営破綻したら、多数の金融機関が不良債権を抱え込むことになり、中国経済への打撃になります。でも中国恒大を救済したら、「金持ちは助けるのか」という不満が爆発するでしょう。「共同富裕」の道は険しいのです。

24 中国の人口、減少へ

「一人っ子政策」の成り立ちと暗い未来

中国の人口が、遂に減少に転じました。中国の国家統計局が二〇二三年一月一七日に発表した二〇二二年末の人口推計によると、外国人を含まない中国大陸の総人口は一四億一一七五万人でした。これは前年末から八五万人の減少です。

一方、一月一日時点の国連推計によると、インドの人口は一四億二二〇三万人。中国は人口世界一の座をインドに譲ったものと見られます。

人口が減ったのは、少子高齢化が進んでいるからです。六五歳以上は二億九七八万人もいます。高齢人口だけで日本の総人口を上回っています。六五歳以上の人口比は約一五％に達し、すでに「高齢社会」と呼ばれる基準の一四％を突破しました。

ちなみに日本の高齢化率は二九・一％で、「超高齢社会」です。はるかに深刻なのですが。

それにしても、人口が増え続けているというイメージの中国が減少に転じたのは、どうしてか。人口を人為的にコントロールしようとして、いびつな社会が生まれたからです。

「人口減少は大躍進政策で多数の餓死者を出した61年以来」(日本経済新聞一月一八日朝刊)と報じられましたが、この「大躍進政策」とは、どういうものなのでしょうか。

　中華人民共和国が成立した一九四九年当時の人口は五億四一六七万人でした。当時、建国の父・毛沢東は「中国の人口が多いのは結構なことで、人口が何倍に増えようとも対策はある」と人口増加を奨励しました。

　これに対し一九五七年、北京大学の学長で人口学者の馬寅初は、一九五三年の段階で中国の人口はすでに六億人を超えており、もし人口を抑制しなければ、五〇年後の二〇〇七年には二六億人にも達するだろうと警鐘を鳴らしました。

　この指摘に毛沢東は反発。馬寅初を激しく批判し、馬は失脚。北京大学の学長の座を追われました。この後、中国は「産めよ、増やせよ」の路線を取り、人口は増え続けます。

　毛沢東の死後、一九七九年になって馬は名誉回復しますが、すでに人口の増加は深刻になっていました。このままでは食料が足りなくなるとして、中国共産党は、いわゆる「一人っ子政策」に舵を切ります。当時、中国では「錯批一人、誤増三億」(一人を誤って批判したため、三億もの人口を増やしてしまった)と言われました。

　毛沢東の下で人口が増え続けていたのですが、「大躍進政策」によって増加に急ブレーキがかかります。大躍進政策とは、現状を無視した毛沢東の夢想によって引き起こされた人為的な災害でした。

一九五七年、当時のソ連共産党のフルシチョフ第一書記は「一五年間でアメリカの主要生産高を追い越す」と演説します。毛沢東はこれに触発され、「ソ連がアメリカに追いつけるなら、ソ連の弟分の中国は、アメリカの弟分のイギリスに追いつけるだろう」と、「大躍進政策」を打ち出します。とんだ妄想でした。

イギリスが工業国として発展してきたのは鉄鋼業が盛んだからだと〝分析〟した毛沢東は、一九五八年に鉄鋼の大増産を命じます。

餓死者は三〇〇〇万人以上

鉄鋼業は「装置産業」と称されるほどに大規模な設備が必要とされますが、毛沢東は、そのようなものは必要ないと考え、全国の農村に溶鉱炉を設置するように指示します。

そんなことを指示されても、溶鉱炉用の耐火レンガもなければ、石炭も鉄鉱石も不足していました。そこで、レンガが用いられていた各地の寺院などを破壊してレンガを確保。農民たちが手作りで粘土をこねて小規模な溶鉱炉を作ります。「土法炉」と呼ばれました。また石炭の代わりに森林を伐採して木材を燃料にします。中国全土で森林が姿を消すという大規模な自然破壊が起きました。

鉄鉱石も入手できないため、農家の鉄製の農機具を土法炉に投入します。その結果、全国で農機具がなくなってしまいます。とんでもない本末転倒が起きたのです。

さらに稲を食べる雀の駆除に農民たちは動員され、徹底的に雀を退治しました。その結果は、イナゴやウンカなどの害虫の大発生でした。雀が、こうした害虫を食べていたことに気づかなかったのです。驚くべき無知でしたが、農民たちは、「建国の父」であるカリスマ独裁者の指示に逆らえなかったのです。

農民たちは〝製鉄業〟に駆り出されて農地は荒れ果て、農機具は失われ、大規模な飢饉が発生します。

このときどれだけの人命が失われたか、正確な情報はないのですが、少なくとも三〇〇〇万人が餓死したと推定されています。専門家によっては五〇〇〇万人という数字を出している人もいます。

しかし、いまの教科書では、「天候不順」により犠牲者が出た、ということになっています。

政策に失敗はつきものだが…

この事態により毛沢東は国家主席の座を劉少奇に譲り、鄧小平が補佐することで、混乱は解消されますが、再び人口は増え始めます。

これに危機感を抱いた中国共産党は、一九八二年、「計画出産」を義務付けます。子どもは一人が望ましいとされ、二人目を生むと罰金が科せられることになりました。

この結果、何が起きたのか。男手が欲しい農村では、女の子が生まれると生き埋めにして生まれなかったことにして、男の子が生まれるまで産み続けるということが行われるようになります。やがて妊娠した段階で性別がわかるようになると、女の子なら中絶してしまうという悪弊が横行します。

その結果、中国での出産比率は女子を一〇〇とした場合、男子は一二〇近い数字になっています。つまり成人しても結婚できない男性が激増したのです。

中国は二〇二一年になって「子どもは三人まで認める」と方針を変えましたが、時すでに遅し。子育てに費用がかかる現代では、一人っ子で我慢（満足）する家庭が多く、人口は増えません。未来は暗いのです。

第4章

「岐路に立つイギリスとドイツ」そこからですか⁉

25

EU離脱でイギリス分裂の危機？

くすぶり続けるスコットランド独立の動き

イギリスがEU（欧州連合）から正式に離脱して、二〇二一年六月で半年。離脱したことは、イギリスにとってメリットとデメリット、どちらが大きかったのでしょうか。ここで中間総括しておきましょう。

まずはメリット。これは新型コロナウイルス対策のワクチン接種がスムーズに進んだ点です。EUは、加盟二七カ国が平等にワクチン接種を受けられるように計画を立てていますので、全体として遅れがち。もしイギリスがEUに留まっていたら、イギリスに割り当てられるワクチンの量は限られ、接種は遅れていたでしょう。でも、EUを離脱したことで、イギリス単独でワクチンメーカーと交渉することができ、早々とワクチンを確保できました。

ワクチンを入手できても接種する医療従事者の数は限られますが、イギリスは、医療経験のない人をボランティアとして募集。筋肉注射の研修を受けさせて接種の現場に投入しました。

この大胆さは、とても日本が真似できることではないでしょうが、これによって、接種がスムーズに進みました。

ワクチン接種が進むにつれて、イギリスの感染者も死者も激減。ワクチンの効果が出ているのです。

というわけで、この点ではEU離脱がプラスに働いているのですが、経済面では、大きくマイナスに傾いています。EUを離脱するに当たって、イギリスはEUとFTA（自由貿易協定）を結びましたので、貿易に関しては、これまで通り関税はかかりません。

ただし、通関手続きは復活しました。イギリスからEUに商品を輸出する際には、税関検査に伴う書類審査が必要になりました。この費用がかかるようになったのです。結果、EU圏内でのイギリス製品の値段が上がってしまいました。

また、書類手続きに時間がかかるようになったことから、新鮮さが売り物の魚介類の輸出に時間がかかります。費用と時間がかかる。これで輸出は激減です。

とりわけ漁業関係者にとって誤算だったのは、EU各国の漁船がイギリスの領海内で漁業が続けられるようになったことです。イギリスがEUに入っていた時代は、イギリスの領海はEUの領海でもありますから、フランスやオランダなどの漁船が自由に漁をしていました。これがイギリスの漁業者には不満。「EUを離脱すれば、イギリスの領海が他国によって荒らされることはない」という離脱派の主張を聞いて、二〇一六年の国民投票の際、多くの漁民が離脱賛成に票を投じました。

ところがイギリス政府は、ＥＵ離脱に当たって、ＥＵの漁業者がイギリスの領海内で漁をすることを認めました。この結果、イギリス漁民の目と鼻の先でＥＵの漁船がこれまで通り漁をしています。イギリス政府は、離脱に当たって無関税を確保するために代わりに漁をすることを認めたからです。これでは何のために離脱したのか、ということになってしまいます。

スコットランドが独立する？

こうして経済面でのデメリットが目立ち、不満を募らせている国民が増えているのですが、国家としてのイギリスにも危機が忍び寄っています。それは、イギリス分裂の可能性の高まりです。二〇二一年五月六日、スコットランドの自治議会選挙が実施され、スコットランド独立派が勝利したからです。

イギリスの正式名称は、よくクイズにも出るほど長いものですね。「グレートブリテンおよび北アイルランド連合王国」といいます。イングランドとウェールズ、スコットランド、北アイルランドの四つの地域の連合体です。

このうちウェールズはイングランドに併合されて長い時間が経つため、独立の動きはあまりありませんが、スコットランドは違います。イングランドと統合したのは約三〇〇年前ですが、独自の言語や文化を維持し続けてきました。スコットランドに行くと、英語の表示と共に地元の言語であるゲール語が併記されています。アルファベットを使っているのですが、どう発音していいか戸惑うほど、別の言語です。また、紙幣もポンドではありますが、エリザベス女王の肖像画があるイングランド銀行とは別にスコットランド銀行の紙幣も使われています。スコットランドの独立心を痛感するのですが、文字通り独立の動きもあるのです。

EU離脱の先に待つのは？

スコットランド議会の定数は一二九議席。スコットランドの独立を目指すSNP（スコットランド民族党）の獲得議席は六四議席で、わずかに過半数に達しなかったのですが、これとは別に、やはり独立を求める緑の党が八議席を獲得し、独立派は計七二議席を占めました。

この結果、SNP党首でスコットランド地方政府のニコラ・スタージョン首相は、独立の是非を問う住民投票を実施すると意気軒高でした。

実はスコットランド独立に関しては、二

〇一四年にも一度、住民投票が実施され、このときは独立賛成派の得票率が四五％、反対派は五五％で独立とはならなかったのですが、二〇一六年に実施されたＥＵ離脱をめぐる国民投票では、スコットランドに限って見ると残留派が六二％を占めていました。ＥＵ向けの輸出が大きな比重を占めているスコットランドでは「ＥＵに戻りたい」という人が多く、「イギリスから独立してＥＵに加盟しよう」という運動があるのです。

しかし、イギリス政府はスコットランド独自の住民投票を認めようとしません。イギリスの最高裁判所もイギリス政府の承認がなければ住民投票は実施できないとの判決を下しました。これによりスコットランド独立の動きは挫折し、スタージョン首相は二〇二三年二月になって首相を辞任しました。

しかし、スコットランド独立の動きは続きます。また、北アイルランドでもＥＵから離脱したことによる新たな手続きに反発する住民がいて、暴動が起きています。イギリスのＥＵ離脱によって、四つの地域の連合王国という国家の仕組みに亀裂が入り、イギリス大分裂の序曲になるかも知れないのです。

26

イギリス首相の辞任

ボリス・ジョンソン、スキャンダルの履歴書

二〇二二年七月、イギリスのボリス・ジョンソン首相は「保守党の党首の座を辞任する」として、辞意を表明しました。イギリス議会は保守党が多数を占めていますから、次は、新たに保守党の党首になったリズ・トラス氏が首相に就任しました。

ジョンソン首相が辞意を表明したのは、首相に愛想を尽かした閣僚が次々に辞任し、もはや内閣を維持できなくなってしまったからです。

愛想を尽かされた一番の理由は、新型コロナウイルス対策で二度目のロックダウン中の二〇二〇年一一月、ジョンソン首相をはじめ首相官邸のメンバーがパーティーを開いて飲酒していた写真が流出したことです。それまでジョンソン首相は、この疑惑を議会で質《ただ》されても、「そんな事実はない」と否定していました。このため、議会を騙したと批判されたのです。

実はジョンソン首相をめぐっては、二〇二〇年の一度目のロックダウン中にも仲間内でパーティーを開いていたことが明らかになっていて、国民の間から「まだあったのか!」と呆れる

声が上がっていました。

さらに、男性への痴漢が問題になっていた男性議員について、痴漢の常習犯であることを知りながら党の要職に就けていたことも発覚し、党内からの批判が高まっていました。

ボリス・ジョンソンとは略称で、正式にはアレグザンダー・ボリス・ド・フェファル・ジョンソンといいます。いかにも貴族らしい名前ですね。先祖はイギリス王室につながる家系だとか。王位継承権はありませんが。

イギリスの名門私立中高一貫校であるイートン校を卒業し、オックスフォードのベリオール・カレッジを出ています。オックスフォードは、三九のカレッジから構成され、学生はいずれかのカレッジに所属します。ベリオール・カレッジはオックスフォードの中でも名門。過去にジョンソンの他に三人のイギリス首相を輩出しています。雅子皇后が外務省職員時代に留学していたのも、このカレッジです。

EU離脱賛成時にもフェイクの癖が

ジョンソンはオックスフォード卒業後、イギリスの保守系新聞「タイムズ」の記者になりますが、学者の発言を捏造した記事を書き、クビになっています。

捏造記事でクビですから、新聞記者としては致命的ですが、なぜか今度は「デーリー・テレグラフ」という別の保守系新聞に就職できました。有力なコネがあったとしか考えられません。

この新聞では、ＥＵ（欧州連合）の前身のＥＣ（欧州共同体）担当となり、ＥＣ本部のあったベルギーのブリュッセルに勤務します。ここで反ＥＣの立場から記事を書き続けました。イギリス国内で反ＥＣさらに反ＥＵの動きが強まるきっかけになったという評価もあります。

ＥＣがＥＵになった一九九四年、ロンドンに戻って政治コラムニストになり、知名度を上げて議会の下院議員になります。二〇一六年に実施されたＥＵ離脱をめぐる国民投票では、離脱賛成派として活動しました。

「イギリスはＥＵに対して莫大な資金を負担している。ＥＵから離脱して、その金を国内の医療保険制度の充実に使おう」などと反ＥＵキャンペーンを展開し、国民投票で離脱賛成派が勝利するのに貢献しましたが、離脱が決まった後で、こうした主張の多くがフェイクであったことが判明しています。新聞記者時代のフェイクの癖が、国会議員になっても続いていたのです。

国民投票を実施した二〇一六年当時のキャメロン首相は、実は離脱反対派でした。国民投票を実施して離脱賛成派の勢いを押しつぶそうとしたのですが、結果はまさかの離脱決定。責任をとって辞任し、後任は、女性のメイ首相でしたが、ＥＵ離脱の方法をめぐって議会と対立して辞任。ジョンソン首相が誕生したのです。

首相に就任した段階では二人目の妻と離婚調停中でしたが、離婚が成立すると、首相官邸で同棲していた女性と結婚しました。

ところが、ほかの女性との不倫関係が暴露されたり、婚外子がいることがわかったりと、スキャンダルには事欠きませんでした。

その後、イギリスがＥＵから正式に離脱すると、ＥＵとの間の物流に混乱が生じたり、医療・介護施設で働いていたＥＵ出身の労働者たちが帰国して人手不足が深刻になったり、不安定な状況が続いていました。

それでも二〇二二年二月、ロシアがウクライナに軍事侵攻すると、ジョンソン首相はキーウに飛んでゼレンスキー大統領と会談。ウクライナに巨額の軍事支援を約束するなどの活躍ぶりでした。もっともイギリス国内では「自身の人気取りのパフォーマンスではないか」との冷ややかな視線があったことも事実です。

ジョンソン首相の辞意表明を聞いて、ロシアの政府関係者からは歓迎のコメントが相次ぎました。首相交代でウクライナ支援が従来通り続くのか、暗い影を投げかけているのも事実なのです。

27

さよならメルケル

ドイツ女性首相の足跡を振り返る

一六年にわたりドイツの首相の座にあったアンゲラ・メルケルが引退しました。二〇二一年九月二六日に実施された総選挙に立候補しなかったのです。首相を退いても議員を続けて党内に影響力を保持している人たちがいるどこかの国とは大違いです。

メルケル首相の後任が誰になるか。選挙の結果はメルケルの与党で中道右派の「キリスト教民主・社会同盟」(CDU・CSU)が得票率で二位に落ち、代わって中道左派の「社会民主党」(SPD)が一位に躍り出ました。

とはいえ、どちらも単独では過半数に達しないため、連立を組まなければなりません。そこで社会民主党は、連立相手として三位の「緑の党」と四位の「自由民主党」を選びました。これは「信号連立」と呼ばれました。これは各政党のシンボルカラーから来ています。

緑の党のシンボルカラーは、もちろん緑。自由民主党のシンボルカラーは黄色です。一方、社会民主党のシンボルカラーは赤です。そこで社会民主党・緑の党・自由民主党の三党連立は赤・緑・黄色となりますから、まるで交通信号のようだというわけです。

緑の党は環境を重視しますが、自由民主党は産業界寄り。原発政策や温暖化対策で政策を合わせるのは大変な困難を伴いましたが、社会民主党のオラフ・ショルツ氏を首相にする連立が成立しました。

とはいえ、メルケル首相の存在感が圧倒的でしたから、ショルツ首相は苦労するでしょう。そこで今回は、去り行くメルケル首相はどんな人だったのかを振り返っておきましょう。日本でも、いずれ女性の首相が誕生するでしょうから、その参考になるかも知れません。いや、参考にはならないか。

アンゲラ・メルケルと呼ばれますが、メルケルは離婚した前夫の姓です。現在の夫はフンボルト大学教授であるヨアヒム・ザウアー氏。まさに「総理の夫」です。メルケルの姓が知られるようになったので、そのまま使い続けているというわけです。それを許すザウアー氏の心の広さを感じます。私は二〇一五年六月にドイツで開催されたサミットを取材した際、ザウアー氏を見ましたが、知的で優しそうな人物でした。

メルケル首相は一九五四年七月、旧西ドイツのハンブルクで生まれましたが、その直後、牧師だった父親が家族を連れて旧東ドイツの教会に赴任します。極めて異例でした。

東ドイツで育ち、スパイの勧誘も

国際社会でも大きな存在感を示した

第二次世界大戦に敗北したドイツは、西部はアメリカ、イギリス、フランスに占領され、東部はソ連によって占領されたことで、東西に分裂します。ソ連流の独裁政権となり、自由が失われた東ドイツからは、一九六一年にベルリンの壁が建設されるまでに約三〇〇万人が西側に逃げ出しました。ところが、メルケルの父親は、反対の道を選んだというわけなのです。

マルクス・レーニン主義の政党によって統治された東ドイツでは、「宗教は民衆のアヘンである」というマルクスの言葉に忠実に、キリスト教会への弾圧を強めます。

その一方で、「宗教の自由」を認めると

いう建前から、一部のプロテスタント教会の存続を認めました。そこでメルケルの父親は、ベルリンから北へ車で一時間半のブランデンブルク州の片田舎テンプリンの教会に赴任したのです。

それにしても、どうして人々の流れと逆方向へ進んだのか。実は父親は、東ドイツの社会主義体制を理想と信じていたのです。なにせメルケルに弟が生まれると、マルクスと名付けたほどです。「赤い牧師」と呼ばれました。

メルケルが過ごした場所は、教会附属の障害者施設でした。ここで障害者と共に成長しています。メルケルが首相になった後、難民など弱い立場の人への思いやりを見せるのは、幼少期の経験が影響していると見る人もいます。

メルケルは子ども時代から成績優秀でした。東ドイツのような監視社会で学業を成就するためには政治と遠い理系の道に進むこと。メルケルは理論物理学者として大学や研究所の職を求めて面接を受けていましたが、その頃、国家保安省（通称シュタージ）の「協力者」になるように勧誘を受けます。要はスパイになって同僚を監視・密告しろという誘いです。しかしメルケルは「私には向いていません。私は口が軽いから何でも話してしまいます」と言って、誘いを断っています。うまく逃げたのです。

東西ドイツが統一された後、シュタージの秘密文書が公開され、政財界の重鎮の多くがシュタージの協力者であったことが判明。裏切り者として失脚しましたが、メルケルは難を逃れたのです。

ベルリンの壁が崩壊すると、メルケルは政治の道に進み、ヘルムート・コール首相に見出され、大臣に就任するなど「コールのお嬢さん」と揶揄されたこともあったのですが、党の政治資金をめぐるスキャンダルが判明すると、コールを容赦なく批判。コールを失脚させ、自らが党首の座を勝ち取ることになります。

元首相の疑惑調査を封印して支持を得ようとしたどこかの国の首相とは違うのです。おっと、やはりメルケルの偉業は、日本の政界では参考にならないのかな。

28

ドイツでクーデター危機

陰謀論を信じる2万3000「帝国臣民」の恐怖

貴族の末裔「ハインリッヒ一三世」を押し立てて帝国を再建する。こんな漫画みたいな（この表現は漫画に失礼ですね）筋書きのクーデターが、現代のドイツで実行されそうになっていたというのですから、開いた口が塞がりません。でも、調べが進むにつれて、本気になって計画していた連中がいることが明らかになりました。しかも、その中には軍の兵士や裁判官もいたというのですから、背筋が凍る思いです。

二〇二二年一二月七日、ドイツの連邦検察庁は、連邦警察の特殊部隊員ら約三〇〇〇人を動員し、ドイツ内外各所を一斉に捜索して、二五人を逮捕しました。特殊部隊員は完全装備で自動小銃を構えていたといいますから、まさに映画さながらです。

逮捕されたのは、極右勢力「ライヒスビュルガー」（帝国臣民）のメンバーです。このメンバーは、武装してドイツの連邦議会を襲撃し、首相や大臣、各政党の党首らを拘束ないしは殺害して、自分たちの政権を樹立しようとしていました。国外追放や処刑対象者のリストの中にはショルツ首相も含まれていました。

彼らの目標は、現在のドイツの政体を転覆させ、「ドイツ帝国」を復活させることです。新しい政体の国家元首には「ハインリッヒ一三世」が就任することになっていました。

なんだかいかがわしそうな名前ですが、旧東ドイツのテューリンゲン州に狩猟用の居城を持ち、約八〇〇年続く貴族の家系に属するのだそうです。

逮捕されたメンバーには、驚くなかれベルリン地裁の現役の裁判官も含まれていました。

さらにドイツ連邦軍の特殊コマンド部隊(KSK)の現役の兵士もいました。KSKはエリートの特殊部隊。逮捕されたのは二等軍曹という下級兵士でしたが、部隊の中で仲間を勧誘していたとみられています。

「ハインリッヒ一三世」の狩猟用の城には大量の武器や弾薬が貯蔵されていました。この武器で議会を襲撃する計画でした。

逮捕後の取り調べで、彼らが全国二八六カ所で「祖国防衛部隊」の組織化を進めていたことも判明しました。部隊はクーデターに際して「敵」を逮捕・処刑する役割を持っていたというのです。本気だったのです。

では、この「ライヒスビュルガー」(帝国臣民)とはどんな組織なのか。ここでいう「帝国」とは、一八七一年から一九一八年まで存在していたドイツ帝国(帝政ドイツ)のこと。第一次世界大戦の敗北により消滅しています。その後のドイツは民主化されたワイマール共和国を経てヒトラーにより第二次世界大戦に突入。敗北によって東西に分割されます。一九九〇年にドイツは再統一されて現在に至りますが、彼らはこの歴史を認めません。現在のドイツは〝まがいもの〟であり、真の伝統あるドイツ帝国を再建するのだというのです。彼らの主張は反ユダヤ主義の色彩が濃く、戦後のドイツの歩みを真っ向から否定しています。

陰謀論を信じるドイツ版Qアノンも

連邦議会を襲撃する。どこかで聞いたような話ではありませんか。そうです、二〇二一年一月にアメリカの連邦議会を襲撃したトランプ支持者たちを想起させます。当時の襲撃犯の中には「Qアノン」と呼ばれる陰謀論者がいました。今回ドイツで逮捕されたメンバーの中にもQアノンが含まれていたのです。

「Qアノン」とは、アメリカで「政府の事情に通暁している」と自称し、「Q」という匿名でネット掲示板に投稿を繰り返していた人物の信奉者たちです。「アノン」とは匿名のことです。Qアノンに言わせると、現在のアメリカやドイツは「ディープ・ステート」（闇の政府）に支配されているというのです。トランプ前大統領のことは、闇の政府と戦う正義の味方だと考えています。

彼らは新型コロナウイルスの存在を信じない者が多く、「闇の政府に操られた現在の政府は、ただの風邪を新型コロナだと言い募り、マイクロチップの入ったワクチンを接種させて人類をコントロールしようとしている」と主張しています。

彼らにしてみれば、ドイツ政府がコロナ対策で都市のロックダウンを進めたり、マスクの着用を義務付けたり、ワクチンの接種を進めたりするのは、すべて「闇の政府」の陰謀だというのです。

今回逮捕されたメンバーの中には、Qアノンばかりでなく、ヒトラーを称賛しユダヤ人を嫌悪するネオナチにつながりのある人物も含まれています。

また、二〇一五年の欧州難民危機に直面した当時のメルケル首相が一〇〇万人の難民を受け入れたことに反発した人物もいます。難民の多くはシリアから逃げてきたイスラム教徒ですから、「ドイツがイスラム化されてしまう」という危機感を持つ白人至上主義者もいます。

首謀者はハインリッヒ13世

つまり、全員が同じイデオロギーを持っているわけではなく、現在の体制に不満を持った人々の集まりなのです。それでも「ライヒスビュルガー」のメンバーは、いまや二万三〇〇〇人にまで増えました。

しかも今回の捜査で、メンバーがロシアと連絡を取り合っていたことがわかっています。親ロシア派がいるのです。

これまでロシアはアメリカや欧州各地で、SNSを使って陰謀論を振りまいてきました。欧米の団結を弱めようとする策謀です。

今回のクーデター未遂にロシアがどこまで関与していたかは、まだ明らかになっていませんが、ウクライナへの軍事侵攻に対して欧州が団結して経済制裁に踏み切ったことでロシアは苦境に立たされています。ドイツでクーデターが起きれば、成功しようがしまいがドイツ国内は大混乱に陥ります。これこそプーチン大統領が望んでいることでもあるでしょう。陰謀論を信じる人が増えている以上、ドイツの危機は去ったとは言えない状況が続くのです。

第5章

「イスラエルと中東の火種」そこからですか⁉

29

ガザ地区とはどんな場所？

イスラエル対ハマスの闘争史

二〇二一年六月、イスラエルがガザ地区を攻撃して、パレスチナ住民に多数の犠牲者が出ました。イスラエルがガザを攻撃するきっかけになったのは、ガザ地区のイスラム過激派ハマスがロケット弾を多数イスラエルに向けて発射し、死傷者が出たからです。停戦にはなりましたが、ガザ地区とは、どんなところなのでしょうか。

私は二〇一三年末、ガザ地区に取材に入ったことがあります。ここは、イスラエルが、高さ八メートルものコンクリート製の分離壁で囲んでいます。その様子は、まるで「屋根のない監獄」のようだと言われるのを実感しました。西側は地中海に面していますが、沖合にはイスラエルの沿岸警備艇がいて、海に出ることもできません。

面積は東京二三区の六割ほどですが、ここに約二〇〇万人の人たちが暮らしています。インフラは貧弱で、少しの雨でも下水が溢れて道路は水浸し。下水処理も機能せず、悪臭が漂っていました。

生まれたときからここで暮らしている人にしてみれば、ストレスが溜まります。ハマスが「イスラエルが悪いんだ」と主張すれば、同調する人たちも出ようというものです。

そもそもの始まりは、一九四八年にイスラエルが建国されたことです。第二次世界大戦中、ナチスによって六〇〇万人ものユダヤ人が虐殺されたことから世界が同情。一八〇〇年ほど前までユダヤ人の王国があり、その後はアラブ人が住み着いていたパレスチナを「ユダヤ人の国」と「アラブ人の国」に分割することを国連が決議しました。ただし、エルサレムはユダヤ教、キリスト教、イスラム教の三つの宗教の聖地であるため、「国際管理」としました。

この国連決議にもとづき、「ユダヤ人の国」と指定された場所にイスラエルが建国されたのです。

ところが、周囲のアラブの国はこれを認めず、イスラエルを攻撃しました。これが第一次中東戦争です。

この戦争で、ヨルダン川西岸地区はヨルダンが占領。ガザ地区はエジプトが占領しました。しかし、それ以外の地域はイスラエルが占領しました。結果、イスラエルは国連決議で定められた地域より広い範囲を占領したのです。

このときエルサレムは、聖地が集中する旧市街を含む東エルサレムをヨルダンが占領。新市街の西エルサレムはイスラエルが占領しました。

この戦争でアラブ人に大勢の難民が出ました。彼らはイスラム教徒のアラブ人ですが、「パレスチナからの難民」と呼ばれているうちに、「自分たちはパレスチナ人だ」という自覚が生まれ、パレスチナ人と呼ばれるようになりました。

その後、第三次中東戦争で、イスラエルはヨルダンとエジプトを駆逐し、パレスチナ全域を占領しました。東西に分断されていたエルサレムも占領し、「永遠に分割されることのない首都」と宣言しました。

しかし、故郷を失ったパレスチナ人たちは激怒。ＰＬＯ（パレスチナ解放機構）のヤセル・アラファト議長の指導の下、反イスラエル闘争を展開します。

「オスロ合意」が結ばれたが

闘争は激しく、多数の犠牲者を出したことからノルウェーが仲介に乗り出し、首都オスロで秘密交渉をお膳立て。一九九三年、「オスロ合意」が成立しました。対立してきた両者ですが、パレスチナ側はイスラエルを国家として承認し、イスラエル側もイスラエル国内でのパレスチナ自治を認めることになりました。パレスチナは、ここを将来のパレスチナ国家としたいという思いを持っていますが、これまでのところ、イスラエルは、これを認めていません。

パレスチナ自治区として選ばれたのがヨルダン川西岸地区とガザ地区でした。どちらもアラブの国が占領している間に、多くのパレスチナ難民が住むようになったからです。

パレスチナ自治区では大統領に当たる議長と、議会に当たる立法評議会があります。当初はアラファト議長でしたが、彼が亡くなった後はマフムード・アッバス議長が務めています。

こうして発足した自治区ですが、カリスマ指導者のアラファト議長亡き後は、二つの派閥に分裂します。ヨルダン川西岸地区は、アッバス議長率いる主流派のファタハが、ガザ地区はイスラム過激派のハマスが支配します。

終わらない戦いで多くの市民が犠牲に

ファタハは穏健派でイスラエルの存在を認めていますが、ハマスは存在を認めていません。そこでガザ地区からイスラエル側に対して、たびたびロケット弾で攻撃しているのです。

二〇一四年にもハマスは多数のロケット弾を発射しましたが、これはイランからの密輸入品でした。イランといえば、イスラム教シーア派の大国。ハマスはイスラム教スンニ派で、両者は相いれないはずなのですが、どちらもイスラエルは敵。「敵の敵は味方」というわけで、イランはスンニ派のハマスを軍事的に支援していたのです。

このときイスラエルは、多数の戦車でガザ地区に侵攻。ハマスの軍事基地を破壊すると共に、ロケット弾を密輸入するのに使用していた地下トンネルを徹底的に破壊しました。

この戦闘で二〇〇〇人以上もの犠牲者が出て、ハマスは戦闘能力を失いました。

しかし、その後は、手製のロケット弾を大量に生産していました。

また、イスラエルの攻撃に備え、ガザ地区内に縦横に地下トンネルを掘り、戦闘員が移動できるようにしました。さらに民家の近くなどに軍事拠点を築きました。もしイスラエルが空爆すると一般住民が巻き添えになるようにして、国際世論を味方につけようとしたのです。

その結果、今回のイスラエルの攻撃で、多数の一般住民が犠牲になっています。ハマスのやり口に反発するガザの住民も多い一方で、イスラエル軍の攻撃で被害を受けている住民の中には、イスラエルに敵意をたぎらす人たちもいるのです。

30

イスラエル守るアイアン・ドーム

ロケット弾とミサイルの値段が示す「非対称の戦い」

イスラエルとガザ地区の過激組織ハマスとの戦闘は、なんとか停戦にこぎつけました。今回、ガザ地区から大量のロケット弾が発射されると、イスラエルで空襲警報が鳴り響き、多くの市民が逃げ惑う映像がニュースで流れました。イスラエル市民は、町のあちこちにあるシェルターに逃げ込んだのです。これまでの長い紛争の教訓から、イスラエルはパレスナチ側からのロケット攻撃に備えて、学校や保育所、ホテルなど公共の場所にコンクリート製の頑丈な建物を多数設置しているのです。

私が以前にエルサレムで宿泊したホテルは、ふだんはホテルの従業員用の保育所が、いざというときにはシェルターに使われるようになっていました。

さらに各家庭にもシェルターの設置を義務付けています。こちらは毒ガス攻撃に備えるものです。一九九一年一月に始まった湾岸戦争では、イラクの独裁者フセイン大統領が、パレスチナ人たちの支持を取り付けようと、イスラエルに対してミサイルを撃ち込みました。当時、イラクは毒ガスなどの大量破壊兵器を開発しているという疑惑がありましたから、ミサイルの先端に毒ガスを仕込んで撃ち込んでくるのではないかと警戒したのです。

イラクからミサイルが飛来すると、空襲警報が鳴り響き、人々はドアや窓を堅く閉め、外気が入って来ない作りになっている自宅のシェルターに逃げ込んだのです。

実際にはミサイルに毒ガスは装填されていませんでしたし、二〇〇三年のイラク戦争後の調査では、イラクは大量破壊兵器を持ってはいなかったことがわかるのですが。

これだけ自国民の安全を確保しようとしているイスラエルの面目躍如だったのが、今回、ハマスのロケット弾を次々に撃ち落とした「アイアン・ドーム」（鋼鉄の屋根）のシステムでしょう。「日本にも、こんなシステムがあればいいのに」と思った人がいるかも知れません。実は日本の防衛には不向きなのです。その点も含めて解説しましょう。

今回、ガザ地区から約四〇〇〇発もの大量のロケット弾がイスラエルに向かって発射されましたが、その多くがイスラエル軍の「アイアン・ドーム」によって撃墜されました。これはレーダーと迎撃ミサイルがセットになったシステムです。イスラエル国内には十数基配備されているといわれます。

ガザ地区からロケット弾が発射されると、レーダーが感知し、直ちに軌道を計算。どこに落ちて来るかを予測します。でも、全部のロケット弾を撃ち落とそうとするのではありません。「無駄ダマは撃たない」主義です。つまり、市街地に落ちてこないようなロケット弾は相手にせず、落ちるのに任せるのです。砂漠に落ちても被害は出ないという割り切りかたです。

五〇〇万円と、四~五万円

兵器の性能向上と高額化は止まらない

住宅街に落下しそうだと予測すると、自動的にミサイルが発射されます。アイアン・ドーム一基で半径七〇キロをカバーします。これまでに飛来するロケット弾の九〇%の迎撃に成功したそうです。

ということは、一〇%は撃ち漏らし、住宅街に落下したというわけです。結果、イスラエルの住民にも被害が出たのです。

それにしても、飛んでくるロケット弾にミサイルを衝突させるのは大変な技術だと驚いた人も多いと思いますが、実際はそうではありません。それでは、いわば飛んでくる銃弾を銃弾で叩き落とすようなものですから、現在の技術では困難です。実際は、ロケット弾の近くまで飛んで行ったミサイルが、センサーでロケット弾を感知して自爆するのです。この爆発でロケット弾を巻き込んで誘爆させる仕組みです。これなら正確にロケット弾に当てなくても撃ち落とすことができるのです。

ただ、問題は価格の差です。イスラエルとガザのハマスとの戦闘は二〇一四年にもありました。このときハマスが発射したロケット弾の多くは、イランからの密輸品でした。イランはイスラム教のシーア派であるのに対して、ハマスはスンニ派。宗派が異なるのですが、イスラエルと敵対するイランは、「敵の敵は味方」という論理でハマスを支援してきたのです。

当時ハマスは、ガザ地区の西のエジプトとの間に何本もの地下トンネルを掘り、ここを使ってイランからロケット弾を運び込んでいました。そこでイスラエルは戦車など地上部隊をガザ地区に侵攻させ、地下トンネルを徹底的に破壊しました。このため、それ以降はイランから直接ロケット弾を受け取ることができなくなりました。そこで、イランから送られた設計図をもとに手製のロケット弾を製造してきたと見られています。材料は、イスラエルから撃ち込まれたミサイルや爆弾の破片です。

なにせありあわせの材料での手製ですから、コストは安く、一発が日本円にして四~五万円程度と推定されています。

一方、アイアン・ドームのミサイルは一発が五〇〇万円もします。金額では実に非対称ですが、イスラエルは、こうしたことに金を惜しむことはしないのです。

アイアン・ドームが次々にハマスのロケット弾を撃墜する映像を見て、「日本もこのシステムを購入すればいいのに」と思った人もいるでしょう。北朝鮮のミサイルの脅威に備えることができるのではないか、というわけです。

残念ながら、そうはいきません。ハマスのロケット弾は、低い高度を低速で飛んでくるから撃墜できるのです。いったん大気圏外に出て、猛スピードで真上から落ちてくるミサイルには、アイアン・ドームでは太刀打ちできません。日本は日本で独自に防衛システムを構築するしかないのです。

31

ユダヤ人はなぜ差別されてきた?

東京五輪閉会式の「解任」が示した国際常識

東京オリンピック・パラリンピックの開会式と閉会式でのショーディレクターを務めていた小林賢太郎氏が、過去にお笑い芸人だった時代に、ユダヤ人が大量虐殺された事件を揶揄していたことがわかり、解任されました。

解任されたのが開会式前日だったので、辛うじて間に合ったというべきでしょう。もし解任されずに曖昧なまま開会式を迎えたら、イスラエル選手団の入場行進ボイコットになったかも知れませんし、アメリカのバイデン大統領のジル夫人も出席できなくなった可能性があります。

さらにＩＯＣのバッハ会長はドイツ人。ドイツはナチス・ドイツの所業に厳しい態度をとっていますから、開会式に出たら致命的。ＩＯＣ会長が出席しないという前代未聞の事態になりかねなかったのです。

「過去のお笑いのネタではないか」と軽く考える人もいるようですが、これは国際的には大問題。日本がいかに人権問題に鈍感かを示す結果になったのです。

その点で言えば、この問題が発覚した当日、オリンピック組織委員会の橋本聖子会長は記者会見したときに「これは外交上の問題もあると思っている。早急に対応しないといけないと、解任の運びとなった」と説明していました。「外交上の問題もある」? ユダヤ人揶揄をめぐっては国際問題になるということを言いたかったのでしょうが、これは「外交上の問題」ではありません。人道上の問題なのです。

私は大学の講義やテレビ番組の解説で「ホロコースト」(ユダヤ人虐殺)を何度も取り上げてきましたが、お笑いのネタにする人がいたり、それが長年見過ごされてきたりしたことに衝撃を受けています。これまで自分は何を語ってきたのかと空しくなります。

そこで今回は、「ユダヤ人はなぜ差別されてきたのか?」をテーマとして取り上げます。世界の常識を確認しておきましょう。

それにしてもユダヤ人の歴史を振り返ると、実に苦難の歴史が続いてきました。世界史をひもとくと、古代エジプトで奴隷状態だった人たちが預言者モーゼに率いられてエジプトから脱出(出エジプト)し、神に与えられた「約束の地」(カナン)に定住したという話が出て来ます。

また紀元前六世紀にはユダヤ人の王国がバビロニアによって征服され、人々は捕虜となって連行される「バビロン捕囚」があったり、紀元七〇年にはローマ帝国によってユダヤ人の王国が滅ぼされたりするなど、数々の苦難の歴史があります。

それでもユダヤ人たちは、自分たちが神から約束の地を与えられた、つまり「神から選ばれた民族」だという誇りを持ち続けました。

ちなみにユダヤ人とは、「ユダヤ教を信じる人」という意味です。「ユダヤ人」と一口に呼ばれても、白人もいれば黒人もいる、中東系の顔立ちの人もいれば、アジア系の人たちもいます。ユダヤ教を守り続けてきたことで差別されてきました。

『新約聖書』の一節が差別の根拠に

現在イスラエルが存在する地域にあった古代ユダヤの王国は、ローマ帝国によって滅ぼされ、人々は各地に離散を余儀なくされます。これは「ディアスポラ」(離散)といいます。とりわけヨーロッパに移り住んだ人たちが、キリスト教社会の中で差別を受けます。その根拠は、『新約聖書』の中の「マタイによる福音書」の文章です。

イエスが十字架にかけられることになったとき、ローマ帝国から派遣されてきたピラトという総督が、集まったユダヤ人の群衆に対し、イエスは「一体、どんな悪事を働いたというのか」と問いかけたのですが、群衆は激しく、「十字架につけろ」と叫び続けました。さらに「その血は、我々と我々の子らの上にかかってもいい」と言ったというのです。つまり、「イエスを十字架にかけた報いが子孫に及んでも構わない」と言ったというのです。

これを根拠の一つとして、ユダヤ人たちは「イエスを殺した者の子孫」として差別されることになります。

ヨーロッパのキリスト教社会の中でもユダヤ人たちは自らの信仰を失うことなく、ユダヤ教の安息日の土曜日には、信者が一堂に会して祈りを捧げました。この様子を見て、差別する側の人たちは、「ユダヤ人たちが復讐のために陰謀を巡らせているのではないか」と偏見を持ち、一段と差別が厳しくなります。

偏見はいつの世も悲劇を招く

ヨーロッパでは、一四世紀にペストが流行します。いまは、ネズミのノミにつくペスト菌が原因だとわかっていますが、そうした知識を持たない当時の人たちは、「ユダヤ人が井戸に毒を入れたに違いない」と考え、ユダヤ人を虐殺する事件も相次ぎました。感染症が流行すると、差別が激しくなる。これは、今回の新型コロナでも、起きていますね。

こうした差別意識を悪用したのがドイツのアドルフ・ヒトラーでした。「ドイツは優秀なアーリア人の国だ。異分子は排除しなければならない」と言って、ユダヤ人を強制収容所に入れ、絶滅を図るのです。

実はヒトラーはユダヤ人だけを虐殺したわけではありません。最初は「身体障害者を根絶やしにする」と言って収容所に入れ、次に少数民族の絶滅を図ります。ロマ人（ジプシー）などが代表的です。

その上で、ドイツが占領したヨーロッパ各国で、合わせて六〇〇万人ものユダヤ人を毒ガスなどで虐殺しました。連行されたユダヤ人たちは最初に選別。妊婦や子ども、病弱な人たちは直ちに殺害され、強健な男性たちは重労働をさせられた挙句、ガス室に送られて殺されました。

第二次世界大戦後に明らかになった、こうした事実は衝撃的でした。これ以降、ナチスの行為を評価したり、ユダヤ人虐殺を揶揄したりすることは許されないことだという国際常識が形成されました。ナチスの犯罪に時効はありません。過去の出来事ではないのです。

32

なぜ髪を隠す？ イランの反乱

「道徳警察」と噴出した不満のマグマ

道路を歩いていたら、「髪をちゃんと隠していない」と警察に逮捕され、その後、急死。娘がこんな目にあったら、親が怒るのは当たり前。親でなくても、「なんでこんなことが起きるんだ」と怒りますよね。これが中東のイランで起きたことなのです。

イスラム教の教えでは、女性は髪をヘジャブ（髪の毛を覆うスカーフ）などで隠さなければならないとされています。とはいえ、同じイスラム圏でも、この教えを厳格に守る国と、比較的自由な国があります。イランは、一九七九年に起きた「イスラム革命」によってイスラム原理主義勢力が政権を掌握し、この教えを厳格に守る国になりました。一九八三年にはこれを定める法律が施行されました。

この法律は、九歳以上の女性は公の場所でヘジャブを着用して髪を隠さなければならないというものです。こうした法律を守らないなど、政権が守るべきだと考える決まりに反する人物を取り締まる「道徳警察」が設立されました。

今回の事件は、イラン西部のクルディスタン州出身のマフサ・アミニさん（22）が二〇二二年九月一三日、首都テヘランで「ヘジャブの着用が不適切」だとして逮捕され、警察署に連行されました。その後、「意識を失った」として病院に搬送されましたが、一六日になって死亡したというものです。

警察は「心臓発作」だったと説明しましたが、父親は娘に健康上の問題はなかったと反論。アミニさんの頭部付近に血痕のようなものが見える写真がSNSで拡散したことから、「本当は警察官によって頭を殴られたのではないか」という疑惑が広がっているのです。

この事件以降、イランの各地で女性たちがヘジャブを脱ぎ捨てて燃やしたりする抗議活動が発生しました。女性ばかりでなく、男性たちも抗議行動に出て、治安部隊と衝突する動画が拡散しています。人権団体によると、多数の人たちが治安部隊の発砲で殺害されたといいます。さらにイラン政府は、治安部隊に危害を与えた人物を逮捕し、次々に死刑に処しています。

それにしても、なぜ女性は髪を隠さなければならないのか。それはイスラム教の聖典『コーラン』（クルアーンとも）に根拠があります。

「女の信仰者にも言っておやり、慎しみぶかく目を下げて、陰部は大事に守っておき、外部（おもて）に出ている部分はしかたがないが、そのほかの美しいところは人に見せぬよう」（井筒俊彦訳『コーラン』）

また、「神から言葉を預かった」とされる預言者ムハンマドの妻たちは、身体を覆うヴェールや長衣を着ていたと伝えられていることから、これが正しい服装だというのです。

では、なぜ九歳から法律を守らなければならないのか。ムハンマドには複数人の妻がいましたが、そのうちで最も愛したと言われるアーイシャは、九歳のときにムハンマドの妻になっているからです。

ここから、九歳は「女」として扱う年齢だとされているのです。

隠したくないのが本音

経済の混乱への不満も

イランのヘジャブをめぐる動きは、その時々の大統領の姿勢によって変わります。二〇〇五年に大統領に就任したアフマディネジャドは保守強硬派で、ヘジャブの取り締まりを強化しました。女性たちがきちんと着用しているか、道徳警察や民兵（バシジ）が監視するようになったのです。

私は二〇〇六年に初めてイランを取材し

ました。このときテヘラン大学の女子学生たちは、スカーフを着用しているものの、前髪を出し、前から見ると、まるで何も着用していないかのように装っていました。おしゃれだったのです。

ただし、二人組の民兵が来るのを発見すると、大慌てで前髪を隠していました。まるで風紀係を見つけた高校生のようでした。決まりだから髪は隠すが、本当は隠したくないという本音が見えました。

二〇二一年まで八年間大統領を務めたロウハニ師は穏健派で、ヘジャブの取り締まりは緩くなっていましたが、後任のライシ師は保守強硬派。取り締まりが厳しくなっていたのです。

今回の若者たちの反発の背景には、イラン経済の混乱もあります。イランの核開発疑惑をめぐり、アメリカはイランに経済制裁を科しました。この結果、石油の輸出もままならず、経済は低迷する一方で物価の高騰が続いています。そのため、保守強硬派のライシ師や、その背後にいる最高指導者のハメネイ師への不満が高まっているのです。拡散している動画の中には、「独裁者に死を」と叫ぶ人たちや、街頭でハメネイ師の看板をはがす若者の姿も映っています。

さらに今回は、急死した女性がクルド人だったことから、イランのクルド人たちの反発を買っています。

イランは人口の多くがペルシャ人ですが、一割はクルド人です。クルド人は、現在のイランやイラク、トルコのあたりに住んでいます。このあたりはもともとオスマン帝国の領土でしたが、第一次世界大戦でオスマン帝国が敗れると、イギリスやフランスなどによって分割され、クルド人たちも、それぞれの国で少数民族になってしまいました。クルド人は全体で三〇〇〇万人。「国家を持たない最大の民族」と言われ、自分たちの国家を持ちたいと熱望していますが、それぞれの国では少数とあって、独立の願いはかなえられず、それどころか「分離独立派」として弾圧されたりしています。イラン国内でもクルド人は冷遇されてきました。それだけに、今回の事件は「クルド人の悲劇」と受け止める彼らが怒っているのです。

事件が起きた当初、ライシ師はアミニさんの父親に電話をして「真相解明」を約束しましたが、反政府暴動が各地に広がると、一転して治安部隊を使って弾圧しています。

国民の間に溜まっていた不満のマグマが、思わぬところで噴出したのです。

33

カタールとはどんな国？

天然ガス・マネーでW杯を開催した小国の存在感

中東のカタールで行われたサッカーのワールドカップは、日本が善戦して盛り上がりましたが、場外では人権問題がニュースになりました。たとえば二〇二二年一一月二一日に行われた一次リーグB組の初戦。イングランドと対戦したイランの選手たちは、イラン国歌が流れても口をつぐんだままでした。これは、イランで頭部を覆うスカーフ（ヘジャブ）をきちんと着用していなかったという理由で当局に連行された女性が死亡した事件に対する抗議でした。イラン国内で激しさを増す抗議運動に連帯を示すもので、この場面はイランの国営テレビでは放映されませんでしたが、国際試合の競技場は政治的なアピールの場にもなるのです。

これはイランの問題ですが、開催国カタールについても人権問題が取り上げられています。スペインのバルセロナやフランスのパリ、ドイツのケルンなどヨーロッパ各地でパブリックビューイングが実施されないという動きが広がったのです。これは大会に関連する施設の建設をめぐって、大勢の外国人労働者が死亡したと報道されたことを受けての行動です。

イギリスの新聞「ガーディアン」や国際人権団体の発表によると、カタールでのワールドカップ開催が二〇一〇年に決まって以来、インドやバングラデシュなどからの出稼ぎ労働者六五〇〇人以上が、スタジアム建設等に従事する中で死亡したというのです。

これについてカタール政府は「事実ではない」と否定に躍起です。とはいえカタールの夏は外気温が四〇度以上になります。私も取材に行ったことがありますが、海に面している国なので湿度も高く、肉体労働には苛酷な環境です。大会の開催に向けて突貫工事で進められてきましたから、報道に関しては、さもありなんという感じです。

また、カタールが同性愛を法律で禁じていることにも抗議の声が上がっています。最高刑は死刑という厳しさなのです。

ただ、これに関しては、中東のイスラム圏はどこも同性愛がタブーになっているので、カタールだけの問題ではありません。カタール政府は、ワールドカップ開催中に同国を訪れた外国人が同性愛で罪に問われることはないと宣言していますが、欧米先進国からすれば時代錯誤に映るでしょう。

それにしても、日本ではあまりなじみのないカタールとは、どんな国なのでしょうか。

カタールの面積は、日本の秋田県よりもやや狭いぐらい。巨大なアラビア半島から突き出たカタール半島にあります。人口は約二八〇万人ですが、その九割は外国人労働者です。これはカタールに限らず、近くのUAE(アラブ首長国連邦)でも同じこと。人口の少ない湾岸諸国は、酷暑の中で働く外国人労働者によって支えられているのです。

カタールのトップはタミム・ビン・ハマド・サニ首長。この首長とはどんなものなのでしょうか。そういえばUAEも「首長国」です。国王とは違うのでしょうか。

指導力ある独裁者の国

首長とはアミールの日本語訳。要はイスラム圏での指導者のこと。なので国王と名乗ればいいようなものですが、そこには近隣の大国に対する遠慮があります。それはサウジアラビアです。

サウジアラビアにはイスラム教の二つの聖地メッカとメディナがあり、サウジアラビアの国王の称号は「二つの聖地の守護者」。その国王に敬意を表し、いわばワンランク下の首長を名乗っているというわけです。

実際は王様ですから、一九七一年にイギリスから独立して以来、専制国家として、そもそも議会もありませんでした。

首長の下に首長自身が任命する諮問評議会があり、これが国会の役割を果たしてきましたが、二〇二一年初めてメンバーを選ぶ選挙が実施されました。少しずつ民主化されていると言えなくもないですが、あくまで首長の諮問に応えて意見を述べるだけの権限しかありません。

それでもカタールが発展してきたのは、世界有数の天然ガスの輸出国だからです。先代のハマド首長が、天然ガスによる利益を国民に還元する政策をとったため、国民には所得税がなく、医療や教育も無料です。

スタジアムでは、アルゼンチンが劇的優勝を遂げた

イスラム教の国なので、酒も豚肉も禁じられていますが、外国人が宿泊するホテルでは酒も飲めます。ただし、公共の場で飲酒することは禁じられています。

カタールが存在感を示しているのは、ニュース専門の衛星放送局「アルジャジーラ」があることです。アルジャジーラとは「半島」という意味です。アラビア半島のことだと思われていますが、私がアルジャジーラの広報担当に確認したところ、カタール半島のことでした。

アラブ圏の放送局は、どこも政府の方針を伝えるだけの存在ですが、アルジャジーラは、自由な報道が認められ、アラブ各国の政府を批判的に報じることもあります。二〇一〇年から一二年にかけて起きた民主化運動の「アラブの春」は、アルジャジーラのアラビア語放送が、各国の民主化運動を積極的に報じたことも大きな要因でした。

独自の外交政策も展開しています。中東ではサウジアラビアとイランが対立してきましたが、カタールは、イスラム教スンニ派の国ながらシーア派大国のイランとの関係も良好で、これを嫌ったサウジアラビアが二〇一七年に国交を断絶するという態度に出たこともあります。二一年には国交を回復していますが。

またカタールには中東最大級の米軍基地があります。小国カタールは、米軍基地を受け入れることで自国の安全保障にしているのです。

小国ながら独自の道を歩んで存在感を示すことで自国を守る。サッカーのワールドカップ開催もその一環だったのです。

池上さんに聞いてみた

読者の質問に池上さんが答える、文春オンラインの連載「池上さんに聞いてみた」。その中から、今回は「ニュース以外」の問いと答えを選んで紹介します！

Q 池上さん、社会人1日目を覚えていますか？

私は今年、新人研修の講師役をこなさなければならなくなりました。研修の準備をしているとついつい、自分が新入社員の頃を思い出してしまいます。私は歓迎会で朝まで飲まされた覚えがありますが、池上さんは「社会人最初の日」を覚えていますか？（40代・男性・会社員）

A ラッシュに揉まれて……

懐かしいですね。私はスーツにネクタイの格好をしたくなくてメディアを選んだようなものです。NHKに入社し、地方勤務になってからは、晴れてスーツやネクタイから解放されましたが、入社式や新人研修中はスーツを着ました。嫌でしたね。

社会人1日目は、早朝満員電車に揺られて出勤。入社祝いに知人からいただいたネクタイピンを、ラッシュに揉まれているうちに落としてしまいました。

1日目は入社式。当時の前田義徳会長の訓示を聞き、新入職員代表として国井雅比古アナウンサーが決意表明しました。どうも彼が入社試験でトップの成績だったからという噂を聞きました。本人に確かめたことはないですが、たしかに優秀でしたね。

Q 真っ暗な山奥で見かけた「クマ注意」の看板。池上さんはどんな動物が「怖い」ですか？

先日、妻と2人で山にドライブに出かけたところ、道を間違えて帰る頃には真っ暗。「クマ出没注意」の看板の立つような、木々に覆われた細い道を走ることになり、とても怖い思いをしました。記者時代を含めて、池上さんは様々なニュースの現場をご覧になってこられたと思うのですが、そのなかでも「この動物は怖い……」と印象に残った事件はありますか？（40代・男性・会社員）

A 島民の人たちが避難した後の島に入ったときのことです。

なんといっても人間が一番怖いですね。

というのは、半分冗談ですが、私が怖いと思ったのは、1986年11月、伊豆大島の三原山が大噴火し、全島民が島外に避難したときのことです。

当時、私はNHK社会部の記者。島民が避難した後の島の様子を取材しろと指示され、ヘリコプターで元町に入りました。

全島避難では、島民の人たちが、なくなくペットを置いたまま避難したため、多くのペットの犬が食料不足に陥り、野犬化していました。殺気立った多くの犬が群れをなしていた光景は忘れることができません。犬は好きなのですが。

Q 地震にあったとき、池上さんは何を真っ先に考えますか？

3・11から10年以上が経ちましたが、当時もいまも、私はあまりに大きな揺れにとっさに頭が真っ白になってしまい、落ち着いてくると今度は急に「ガスの元栓閉めなきゃ」「机の下に頭を隠さなきゃ」「家族は大丈夫かな」と色々なことが

浮かんで慌ててしまいます。池上さんは地震にあったとき、何を真っ先に考えますか？(30代・男性・会社員)

A　P波とS波の間隔を確認します。

まずは最初の揺れであるP波と、次に来る揺れのS波の間隔を確認します。間隔が空けば、震源はかなり遠いことがわかります。それでも揺れが大きければ、「遠くで大きな地震が起きたんだな」と推測します。

　P波とS波の間隔が短ければ、「これは震源が近いぞ」と身構えます。

　これは、若い頃にNHK社会部で気象庁を取材していたときに身に付けた心構えです。

Q　池上さんの「手帳のこだわり」は何ですか？

私の夫は、バイクに乗っていた学生時代は「出かけた先の記念になるようなものを貼りたいから……」と大きな1日1ページの手帳を使っていたのですが、就職後は「関係先の電話番号が書かれていて便利だから……」と職場が作っている見開き1週間単位の薄い手帳をずっと愛用しています。池上さんには「仕事柄こういうこだわりが……」という手帳のこだわりはありますか？(20代・女性・会社員)

A　一冊の手帳に、何もかも書き込んでおけば……

私はA5サイズの手帳を愛用しています。デジタル化はしていません。アナログの手帳です。見開き2ページで1週間のタイプです。左側のページには大学での講義の時間割や出版社、テレビ局との打ち合わせの時間を記入しています。

　一方、右側のページには、週刊文春などの連載の締め切り日が記載されています。

　手帳にはシャープペンシルで書き込みます。

予定が変更になったときにすぐに修正できるからです。

一冊の手帳に、何もかも書き込んでおけば、ダブルブッキングすることもありません。手帳は常に持ち歩いています。どうですか、とてもアナログな人間なのです。

Q ブラックサンダーに「薄皮」パン……池上さんはどんなところに値上げを実感しましたか？

有楽製菓が、自社の人気駄菓子であるチョコバー「ブラックサンダー」など一部商品について値上げしました。ブラックサンダーは1個30円を5円引き上げることになり、上がった金額自体は大したことがないのですが、学生の頃によく食べていたので、ちょっとしみじみしてしまいました。

山崎製パンの人気商品「薄皮」パンシリーズが5個から4個に減ったことも、見た目で分かる変化だけにSNSで話題でした。池上さんは、このところの値上げをどういうときに実感しましたか？（30代・女性・公務員）

A 研究室そばの食堂で食べるメニューが……

某大学のキャンパスに私の研究室があるのですが、研究室のすぐそばに男性一人で切り盛りしている食堂があります。ここで私の定番は「豚肉生姜焼定食」です。

２０２２年の秋まで７５０円だったのですが、いまは８００円です。内容量を減らしていませんから、その点では良心的だなと思うのですが、「ああ、ここにも物価上昇の波が」と、しみじみしました。

行きつけのカフェのコーヒーの値段も軒並み上昇。毎日飲むコーヒーですから、悲しいですね。

第6章

「日本政治と経済の今」そこからですか!?

34

「新しい資本主義」とは？

岸田総理が打ち出したスローガンの源流

一九六〇年、当時の岸信介内閣が推進した安保条約改定をめぐり、政界は大混乱。国会に警官隊が導入され、改定反対を主張する野党議員を排除する騒ぎになりました。国会議事堂の周りには「安保反対」のデモが渦巻きました。

安保改定を実現すると、岸内閣は退陣。代わって総理に就任したのが池田勇人です。岸内閣で日本国内は政治的に分断が進みましたが、池田内閣は「所得倍増計画」を掲げて国民の融和を目指しました。これを契機に、日本は「政治の季節」から「経済の季節」へと転換しました。

その池田勇人の後援会としてスタートしたのが宏池会。その後、自民党内で大きな勢力を持つ派閥の名前になりました。

現在から見ると、岸はタカ派、池田はハト派のイメージがあります。ところが池田は岸内閣で通産大臣（現在の経産相）を務め、評判の悪かった岸内閣を支えていたのです。自分とは考え方が異なるけれど、岸内閣を支えれば、次は自分が総理大臣になれると計算していたと言われます。岸の後継争いでは、自民党の重鎮だった大野伴睦も有力でしたが、結局、岸は自分を支えてくれた池田を後継総理に選びます。

こうして総理になった池田ですが、岸の支援で総理になったというイメージがついて回り、〝岸亜流〟という批判も受けました。

ところが、「寛容と忍耐」をキャッチフレーズに、「皆さんの所得を一〇年で倍増させます」と訴え、ブームになります。

七月に総理に就任した池田は一一月に解散総選挙に踏み切ります。慌てたのが当時の野党第一党の社会党です。格差の是正・貧困対策を訴えていたのに、池田の「所得倍増計画」で影が薄くなったからです。結果、選挙は自民党が圧勝しました。

いまから六三年も前の歴史をなぜ振り返っているかは、もうおわかりですね。岸信介の孫の安倍晋三元総理と、その後継だった菅義偉前総理に対し、岸田文雄総理は宏池会。しかも池田と同じ広島県が拠点。明らかに当時を想起します。

池田は岸と考え方が違っていましたが、岸の支援を受けて総理に就任しました。今回の岸田も、最終的には安倍元総理の支援を受けました。その結果、〝安倍後継内閣〟などと批判されています。当時と構図が似通っていると思いませんか。

岸田総理が打ち出したのが「新しい資本主義」。これは、安倍・菅内閣の新自由主義的な経済政策ではなく、富の再分配と所得拡大をめざすというもの。「成長と分配の好循環」という言い方をしていますが、いわば「令和版所得倍増計画」です。

これに動揺しているのが立憲民主党など野党です。安倍・菅内閣で拡大した格差を批判し、「分配政策」に踏み切るべきだと主張してきたからです。いわばお株を取られたというわけです。このままでは六三年前の社会党の敗北の二の舞になりかねないという危機感を持っています。

「話をよく聞く岸田総理」

ところが岸田総理は、総理大臣に就任すると、これまでの発言の軌道修正が目立っています。「新しい資本主義」というスローガンは、要するにアベノミクス批判です。安倍元総理に気を使っているので、あからさまに批判はしませんが、「成長と分配の好循環」とは、格差が拡大してしまった経済政策を転換し、貧困層や中間層の所得が増える政策を進めるという意味です。

かつて池田内閣の「所得倍増計画」によって、中間層の所得が増え、「一億総中流」と呼ばれる状況を実現しました。その再現が目標です。

そこで岸田総理が早々と打ち出したのが、「金融所得課税の強化」でした。株の売却益や配当金への課税を強化するというもので、この方針を表明したとき、岸田総理は「一億円の壁」という言い方をしました。富裕層の所得が一億円を超えると、所得にかかる税率が下がっていく。これはおかしいという問題提起です。

ここで思い出すのは、アメリカの大富豪ウォーレン・バフェットの発言です。彼は株への投資で巨万の富を築きましたが、「自分が納めている所得税率は、自分の秘書より低い」と発言したことがあるからです。

どこの声をよく聞くのか

アメリカの税制では、株の売却益や配当金への税率が給与所得への税率より低いため、株で利益を上げている自分の税率は、秘書の給与収入にかかる税率より低く済んでいる。これはおかしいという指摘でした。

バフェットは、富裕層の金融所得に対して三〇％以上の税率をかけるべきだという「バフェットルール」を提唱しました。自分からもっと税金を取れと言ったのですね。当時のオバマ大統領も検討しましたが、金持ち優遇政策を進める共和党の反対で実現しませんでした。

では、日本はどうか。日本では所得が一八〇〇万円を超えると、住民税を含めて五〇%の税金がかかります。手取りが半分になるわけです。さらに所得が四〇〇〇万円を超えると、住民税を含めて税率は五五%まで上がります。これが上限です（復興特別所得税は除く）。

一方、株の売却益や配当金への税率は二〇%で済んでいます（これも復興特別所得税を除く）。お金持ちの多くは株を持っていますから、株の売買や配当金での所得が増えていけば、全体として所得にかかる税率は下がっていきます。所得が一億円を超えると、その傾向が顕著になるというわけです。

この方針には快哉を叫んだ人もいたでしょうが、岸田総理は、突然金融所得課税の強化は将来のことと持論を封印しました。方針を発表した途端、日経平均株価が大きく下がったからです。「金融課税が強化されれば利益が減る」と恐れた投資家が株を売ったためです。

岸田さんの特技は「人の話をよく聞くこと」と自認しています。庶民より金融業界の声を「よく聞いた」ようです。

35 「新しい資本主義」再論

岸田総理が言い切った「アベノミクスに効果なし」

前に岸田文雄首相の「新しい資本主義」について取り上げ、まるで一九六〇年のことのように思えると書きました。当時は岸信介内閣が推進した安保条約改定をめぐり、政界は大混乱。国会に警官隊が導入され、改定反対を主張する野党議員を排除する騒ぎになりました。国会議事堂の周りには「安保反対」のデモが渦巻きます。ところが、安保改定を実現すると、岸内閣は退陣。代わって総理に就任したのが池田勇人です。岸内閣で日本国内は政治的に分断が進みましたが、池田内閣は「所得倍増計画」を掲げて国民の融和を目指しました。これを契機に、日本は「政治の季節」から「経済の季節」へと転換した、という話でした。

池田内閣は、総理に就任した年に解散総選挙に踏み切ります。慌てたのが野党第一党の社会党。格差の是正・貧困対策を訴えていたのに、池田の「所得倍増計画」で影が薄くなったからです。どうですか。二〇二一年の選挙でも野党第一党の立憲民主党は苦戦しました。似たような構図になったと思いませんか。

岸田内閣は、早速「新しい資本主義実現会議」を発足させ、会議は同年一一月八日、「緊急提言」をまとめて発表しました。一回目の会議が開かれたのが一〇月二六日ですから、良く言えば猛スピードで、悪く言えば拙速にまとめた内容ということになるでしょうか。

中身を見ると、「成長戦略」として、実に多数の目標を掲げています。「科学技術立国の推進に向けた科学技術・イノベーションへの投資の強化」ですとか、「デジタルトランスフォーメーション（ＤＸ）の推進」だとか、「クリーンエネルギー技術の開発・実装」などが掲げられています。

出た！「実装」という言葉。私たちは、ふだんこんな言葉を使いませんが、霞が関の官僚たちのお好みの言葉なのです。彼らがひっきりなしに使うので、最近は民間企業の中でも使われるようになりました。要は「実際に使えるようにします」というだけの意味なのですが、なんとなく格好いいと思っているのでしょうね。

この「緊急提言」の冒頭には、提言に至った認識が、次のように述べられています。

「具体的には、１９８０年代以降、短期の株主価値重視の傾向が強まり、中間層の伸び悩みや格差の拡大、下請企業へのしわ寄せ、自然環境等への悪影響が生じていることを踏まえて、（中略）全てを市場に任せるのではなく、官民が連携し、新しい時代の経済を創る必要がある」

ここで批判しているのは、小泉内閣以来の新自由主義政策です。この政策は安倍内閣も菅内閣も継承してきましたから、アベノミクス批判に通じるのです。

この点について、『文藝春秋』一二月号で、阿川佐和子さんが岸田首相を問い詰めています。さすが元祖「聞く力」の阿川さんです。

〈阿川　安倍路線とは具体的にどこが違いますか?〉

さて、岸田首相の答えは。

やっぱりアベノミクス批判

〈岸田　アベノミクスは経済成長において大きな成果をあげました。ただ、その恩恵がなかなかトリクルダウンして所得の低い人までおりてこなかった。市場と競争に全て任せていても、成長の果実は還元されません〉

どうですか、一応アベノミクスを評価するようなことを言って安倍元首相への配慮を見せながらも、後段ではアベノミクスは効果がなかったと言いきっているのです。

新自由主義から自由になった?

さて、ではこれからどんな施策を打ち出していくのか。なんと緊急提言の翌日、四つの会議を設置したのです。二〇二二年夏の参議院選挙に向けて、実績を上げたかったのでしょうが、一気に四つも設置したことで、似たような会議が林立することになりました。林立というよりは乱立かも知れませんが。それが、次の会議です。

「デジタル田園都市国家構想実現会議」、「デジタル臨時行政調査会」、「全世代型社会保障構築会議」、「公的価格評価検討委員会」

このうち「デジタル田園都市国家構想」は、懐かしい名前です。岸田首相が所属する宏池会の大先輩の大平正芳首相が提唱した「田園都市国家構想」の現代版だからです。

「所得倍増計画」といい、「田園都市国家構想」といい、宏池会の先輩たちのスローガンを復活させようとしていることがわかります。

ただし、新しい会議を次々に設立する一方、既に存在している会議をそのままにしているので、権限の重複が目立ちます。

たとえば「新しい資本主義実現会議」は、小泉内閣や安倍内閣で大きな力を持った「経済財政諮問会議」と役割が重複します。諮問会議も経済成長を目標にしているからです。

また、「デジタル田園都市国家構想実現会議」は、デジタル技術で地方活性化を目指します。これって、現在ある「デジタル社会推進会議」と、どこが違うのでしょうか。

さらに「デジタル臨時行政調査会」は、現在の「規制改革推進会議」と「行政改革推進会議」

と、もろに内容が重なっています。

いずれも過去の内閣が新設したものや継続してきたものを、そのまま受け継いでいるから、こうなるのです。新しい施策を展開するのなら、従来の会議を発展させるか、あるいは廃止するかしなければ、効果がありません。こんなところも、岸田さんが、いろんな方面からの声を「聞く力」があるからでしょう。

でも、それでいいのか。前掲誌で阿川さんは、こう畳みかけました。

〈阿川　総裁選の間はいろいろ忖度がおありだったでしょうけれど、総理になっちゃったんだから「あとは自由にさせてくれよ！」と思いませんか？

岸田　自由にさせていただいていることもだんだん増えております〉

岸田さん、これまで自由にできなかったことがあることを認めてしまっていますよ。正直な人ですね。

36

衆議院選挙の制度の理由は？

「小選挙区比例代表並立制」をおさらいする

二〇二一年一一月に実施された衆議院議員総選挙は「小選挙区比例代表並立制」です。この制度が適用されたのは一九九六年の選挙から。今回で二五年です。もはや常識になった制度ですが、今後初めて投票する人もいるでしょうから、この際、どういう仕組みで、なぜこんな制度になったのか解説しましょう。

この制度は、「小選挙区」と「比例代表」を「並立」して行うからこの名称があります。小選挙区は個人に投票、比例代表は政党に投票します。

小選挙区は、全国を二八九の選挙区に分け、ひとつの選挙区からひとりが当選します。小選挙区の「小」とは、面積が小さいことではなく、当選者がひとりであることを意味します。

小選挙区は、二大政党制になりやすい制度であることから、敢えて選ばれました。各選挙区でひとりしか当選しないため、どうしても大政党に有利です。となると、他の中小政党が集結して、もう一方の大政党が生まれやすくなるはずだと考えられました。この二つの政党が政権を奪い合うようになると、ひとつの党が政権を獲得しても、失政があれば次の選挙で政権を失います。その危機感から、緊張感をもって政治を進めるようになるだろうと期待されました。事実、二〇〇九年には民主党が政権を取り、二〇一二年には自民党が政権を奪還しました。

しかし、政権交代が起きたのは、この二回だけ。それ以降は自民党の「一強」の状態が続いてきました。自民党に対抗できる強い野党が生まれなかったためです。

かつて中選挙区だった時代は、ひとつの選挙区から三人ないし五人が当選していました。この場合、自民党からは複数の候補者が立候補します。同じ党ですから、政策は同じ。そこで、「私が当選したら高速道路を建設します」「新幹線を誘致します」といった利益誘導型になってしまいがちです。どちらも当選した場合、同じ党であってもライバル同士ですから仲が悪く、それぞれ別の派閥に入ります。こうして派閥政治が続いてきました。派閥のトップは、派閥を維持するための資金が必要。「政治と金」の問題が頻繁に起きていました。

こうした弊害をなくし、政策本位の選挙ができるようにと考えて、小選挙区制を導入したのです。

その代わり、小選挙区制には欠点もあります。いわゆる死票が増えてしまうのです。

たとえば全体の票数が一〇万票の選挙区を考えてみましょう。A候補が四万、B候補が三万、C候補も三万の票を獲得すると、A候補が当選します。その結果、A候補以外に投じられた六万票が無駄になります。これが死票です。当選者の獲得票数より死票のほうが多くなってしまう場合もあるのです。

そこで比例代表制も導入しました。全国を一一のブロックに分け、獲得票数に応じて、政党の当選者数が決まります。これだと少数政党からも当選者が出やすくなります。

「敗者復活」もある

比例代表制では、政党はあらかじめ「当選する順番」を決めておき、選挙管理委員会に届けておきます。たとえばZ党が三人当選なら、Z党の上位三人が当選します。

でも、これだと、比例の上位にランクされると、「当選が決まったも同然」と考えて選挙運動を熱心にやらない人が出てくる可能性があります。それを避けるための仕組みが「重複立候補」です。

重複立候補とは、小選挙区と比例代表の両方に立候補できる仕組みです。ただし、比例代表は政党に投票しますから、無所属の候補者は重複立候補できません。政党に有利な仕組みなのです。

候補者が熱心に選挙運動をする仕組みにするには、どうしたらいいのか。重複立候補している人たちの当選順位を、全員同じにしてしまうのです。たとえばZ党から立候補している人は全員を当選順位一位にしておきます。

重複立候補している人が、小選挙区で当選を決めれば、比例代表の名簿からはずれます。一方、小選挙区で落選しても、比例代表で復活当選の可能性があります。復活当選の決め手は「惜敗率」（惜しい負け方の割合）です。

完璧に公平な制度はないとは知りつつも

たとえば、同じ順位になっている別々の選挙区のD候補、E候補のふたりのうちのどちらかが当選する場合で考えてみましょう。D候補は九万票を獲得したものの、対立候補が一〇万票を取ったために落選した場合、D候補は、当選した候補の票数の九〇%を獲得しました。この場合の惜敗率は九〇%です。

一方、E候補は二〇万票を獲得しましたが、対立候補が二五万票を取って当選したので、E候補の惜敗率は二〇割る二五で八〇%です。

D候補は惜敗率でE候補を上回り、D候補が当選。E候補より獲得票数が少なくても当選するという不思議な結果になります。

惜敗率という基準が導入されたため、各候補は、たとえ小選挙区で負けそうになっても、比例代表での復活を目指して最後まで手を抜かずに頑張るでしょう。候補者に手抜きをさせない仕組み。これが重複立候補の惜敗率なのです。

この仕組みですと、ひとつの選挙区から当選するのはひとりとは限りません。X党の候補者が小選挙区で当選し、Y党とZ党の候補者が比例代表で復活し、ひとつの選挙区から三人の国会議員が誕生することだってありうるのです。

ただし、小選挙区で落選した候補者は、いわば有権者から失格を言い渡された人です。その人が復活してしまうのでは、小選挙区の有権者の民意が無視されてしまうという指摘もあるのです。

でも、候補者にしてみれば、重複立候補できるのは、救命具のようなもの。なくならないのです。

37 岸田総理の演説の弱点はどこに?

人を動かす3要素と「池上流演説指南」

二〇二一年の衆議院総選挙でも政治指導者のコミュニケーション能力が問われました。菅義偉前総理は、コロナ禍で緊急事態宣言を出すたびに国民に協力を呼びかけましたが、そのメッセージが心に響かないと不評で、結局は退陣へとつながりました。では、岸田文雄総理はどうなのかと注目されたというわけです。

そこで同年一〇月二二日に北海道各地で行った岸田総理の演説を分析することで、「心に響く演説」とはどういうものかを見ていきます。

まず岸田総理の特徴は、他党を批判しないこと。安倍晋三元総理は、総理時代、民主党と、その後の立憲民主党について口を極めて罵っていました。それはいまも変わらず、今回の選挙でも立憲民主党や共産党の非難を続けていました。

ところが岸田総理は、自分の内閣が何をやろうとしているのかを力説するだけで、他党については、ほとんど触れていませんでした。他者を批判しない。これが、岸田総理を知る人たちが、「岸田さんは人格者だ」と評価する所以です。

ただ、他党を批判しないことに安倍元総理は不満らしく、終盤になって「野党を批判しろ」との指令が飛んだという情報がありますが、岸田総理は、「どの政党が、どの候補者が、しっかりとした外交安全保障を進めることができるのか、これもしっかり見ていただかなければなりません」という程度に批判を留めました。いい人ですね。

岸田総理の演説のもうひとつの特徴は、「しっかり」というのが口癖であることです。旭川市内での一〇分弱の演説でも、「しっかり」という言葉が三六回も発せられました。たとえば、次のように。

「皆さんの暮らし、そして仕事を守るための経済対策、大型の経済対策を**しっかり**と用意させていただきます。皆さんのお仕事を守るために、持続化給付金並みの支援、あるいは雇用調整助成金の特例。こうしたものも、来年の三月に**しっかり**と見通せる支援を用意いたします。また困っている方々には、**しっかり**とこの現金の給付を用意すると。こうした大型の経済対策を**しっかり**用意しながら、先ほど申し上げましたワクチンの接種と、検査体制の充実。そして治療薬の実用化を目指す、こういった取り決めを**しっかり**進めていきたいと思っています」

自分の発言を強調したいとき、「しっかり」という言葉を挟みたくなる気持ちはわかりますが、ここまで多いと、単なる気合ではないかと突っ込みを入れたくなります。「しっかり」という言葉を使わないで思いをきちんと伝えていく。その努力を**しっかり**やってほしいと思います。

その上で、人を動かす演説に必要な三要素をご紹介しましょう。それは、古代ギリシャの哲学者アリストテレスが提唱したロゴス、エトス、パトスの三つです。

ロゴスは話が論理的であること。岸田総理の演説は、「コロナ対策をしっかりやる」「その上で経済を回していく」「皆さんの意見を書きとめた岸田ノートを活用していく」という流れで、ロゴスでは及第点でしょう。

人を動かす演説には「3要素」が欠かせない

ロゴスとエトスはあるが……

次のエトスは「倫理」と訳されますが、要は話し手が信頼できるかどうか、です。この点でも岸田さんの誠実さは伝わってきますから、合格でしょう。

問題は三番目のパトスです。これは「情熱」と訳されますが、相手への共感力でもあります。この点で岸田総理の演説は落第です。

一〇月二二日の北海道は、いよいよ冬到来という寒さです。まずは集まってくれた人たちに、「寒さの中をありがとうございます」とか、あるいは「凍《しば》れる季節になりましたね」（凍れるは北海道の方言）とか言うところから話を始めるべきでした。

さらに、北海道の人は、いま何に関心があるのか。それは、ガソリン代など燃料費の高騰です。北海道の人たちにとって、冬を過ごす暖房費は気にかかるもの。政府は石油価格や天然ガスの価格が高騰しないように産出国に対して増産を働きかけています。このことを強調すればいいのに、と思ってしまいました。

では、私ならどのような話の運びにするか、例示してみましょう。

お集まりの皆さん、岸田文雄です。今朝は凍れますねえ。これから長い冬を迎えるのに、このところの燃料代の値上がりは気になりますね。懐まで寒くなります。

燃料代の値上がりは、中国や欧米がコロナ禍から脱出して、経済活動が再開されているからです。

岸田内閣としては、産油国に対して石油の生産増を働きかけるなど、皆さんの負担がこれ以上増えないように努めています。その成果が出るまで、いましばらくお待ちください。

燃料費の高騰は、それだけ世界各国の経済が動き出しているから。日本もコロナの新規感染者がようやく減ってきました。まもなく飲み薬も用意できそうです。そうなれば、経済活動も再開できるではありませんか。皆さん、これまでのご苦労と心配、長かったですねえ。もうちょっとの辛抱ですよ。

これから安心して外出できるようになれば、買い物もしたいですよね。みんなと食事にも行きたい。旅行にも行きたい。みんながお金を使えば、お金がグルグルと日本中を回り、日本経済は復活していきます。

岸田内閣は、皆さんの所得を増やすとお約束しています。どうすれば増えるのか。社員の給料を引き上げた企業に対し、税金を減らします。社員の給料を増やしても、国に納める税金が減れば、会社は喜んで給料を引き上げるでしょう。そうなれば、皆さんの消費活動は活発になり、豊かさが広がっていきます。

それを実現するのが、岸田内閣なのです。

せめて、これくらいのことを言ってほしかったですねえ。

38

選挙特番で政治家にどう聞くか

政治の世界にある「暗黙のルール」とは？

二〇二一年一一月の衆議院総選挙では、とりわけテレビ各局の選挙特番が話題になりました。選挙で当選あるいは落選した政治家に、どのような質問を投げかければいいのか。それが問われました。

最近のテレビ各局のキャスターによる厳しい質問は、前からあったわけではありません。一〇年以上前の民放各局の選挙特番での政治家へのインタビューは、おしなべて「いまのお気持ちは？　勝因（敗因）は何でしょうか？　今後どのような活動をしていくおつもりですか？」というものでした。要はNHKの選挙特番と同じようなものでした。

これが変わるきっかけとなったのが、二〇一〇年七月に放送された「TXN参院選特番　池上彰の選挙スペシャル」でした。TXNとはテレビ東京をキー局とするネットワークのこと。他の民放局に比べて組織も小さく、人員も少ないテレビ東京は、それまで午後八時からの選挙特番を放送できないでいました。

そんな状況を払拭したいというテレビ東京報道局の熱意に打たれ、このときから私がメインキャスターをお受けしました。この番組で、政治家たちに容赦ない質問を連発したことが話題となり、高視聴率を獲得したことから、各局とも考えを改めたのです。

それ以降、NHK以外の各局は、政治家への厳しい質問をためらわなくなりました。「厳しい質問をしてもいいんだ」と気づいたのです。

それまで選挙特番といえば、各局の政治部の記者あるいは政治部出身のコメンテーターが主に質問をしていました。彼らは選挙の後も政治家との良好な関係を維持していかなければなりませんから、政治家を怒らせるような質問はしなかったのです。これが「政治家に忖度している」という視聴者の不満につながっていました。しかし私は社会部記者出身。政治家との良好な関係を維持しようとは思っていませんから、直球の質問も投げることができたのです。

また、テレビ東京の番組では、公明党と創価学会との関係も取り上げました。創価学会が公明党を支持し、学会員が熱心に選挙運動していることは、政治部記者にしてみれば常識のこと。わざわざ取り上げるなどバカバカしいと思っていたのです。

その結果、視聴者の中には、「なぜ公明党と創価学会の関係を取り上げないのだ。テレビ局にとってタブーなのか」と思い違いをする人たちがいたのです。テレビ東京の番組は、政治についてを知らない人にも楽しく勉強してもらおうというコンセプトでしたから、敢えて両者の関係を取り上げました。これを見た視聴者が、「テレビ東京はタブーに切り込んだ」と過分な評価を与えてくださったのです。

でも、他局の政治部記者たちには不評でした。「こんな当たり前のことをなぜ取り上げるんだ」というわけです。ここに、政治のプロと視聴者の思いとの乖離があったのです。

また、テレビ東京の番組では、当選した候補者の〝面白プロフィール〟も話題になりました。ここには、テレビ東京なりの戦略がありました。

速報合戦の時代は終わった

過去の選挙特番は、どれだけ早く当選確実を打ち出すかという競争でした。この点ではNHKが独擅場のような状態でしたが、民放各局も系列新聞社と情報共有することなどで速報合戦に参入してきました。

しかし各局が午後八時に出口調査の結果を発表するようになってからは、情勢が激変。それまで視聴者は、「どの政党が当選者を増やすか」「自分が投票した候補者は当選するかどうか」と注目しながら見ていましたから、刻々と当選確実が出る状況を興味深く見ることができたのです。それが八時になった瞬間にわかってしまうのですから、速報合戦の意味がなくなってしまいました。

そのことにいち早く気づいたのがテレビ東京でした。速報合戦ではない番組を作ることによって視聴者に見てもらおうと考えたのです。そこには速報合戦では勝てないという会社の事情もあったのですが。

そこで打ち出したのが「選挙に関する知的エンターテインメント」というコンセプトです。選挙の現場にバスツアーを組んで見に行く。選挙事務所の中がどうなっているか紹介する。共産党や公明党、創価学会の中を探訪するという企画を次々に実現させました。

番組中に当確が出た候補者を紹介しても、視聴者には初めて見る名前が多くなります。そこで、候補者たちの意外な人間的側面を紹介しようとプロフィールに工夫を凝らしたのです。この趣向は、その後各局が真似をしました。

じつは「聞き手」も試されている

こうしたテレ東の番組を参考にしたのでしょうか、お笑いタレントを起用し、候補者に「忖度ない質問」をするという趣向が今回登場しました。忖度のない質問は大歓迎ですし、政治部出身ではないタレントなら遠慮なくズケズケと質問できるだろう。そう考えれば、この方法もありだなと思っていました。

ところが、いざ放送が始まると、「失礼なやり方だ」という批判が噴出したそうです。政治家への質問とは、難しいものですね。

そこで私も自戒を込めて、政治家への質問のあり方を考えてみます。問題は「忖度」とは何か、です。政治家にとって聞かれたくないことを考えて配慮し、敢えて聞かないでおく。これが忖度でしょう。でも、視聴者が知りたいことなら聞くのは当然のことです。ただ、政治の世界で「政策は批判してもいいが人格攻撃はいけない」という暗黙のルールがあります。相手は選挙に出た公人とはいえ、人間です。当選した候補者は、選挙区の有権者から支持されています。その人の政策や認識に問題があると思えば指摘し、批判すればいいのです。政治家を敢えて怒らせて本性を明らかにする手法もありますが、人格を否定してはいけないのです。そのさじ加減が難しい。それを痛感させる騒動でした。

39 「タレント候補」を考える

私も受けた「口説き文句」と、「立候補資格検定試験」

年収が二〇〇〇万円を切るようになったタレントに「選挙に立候補しませんか」と声をかけると、乗ってくる人がいる。

なんともタレント候補に失礼な説を吹聴している人がいました。国会議員になれば歳費(年収)が二〇〇〇万円を超えるし、秘書を三人まで国費で雇えるから、マネージャーをそのまま秘書で雇用すればいいというのです。

かつては飛ぶ鳥を落とす勢いがあったタレントでも、やがては仕事が減ってくる。マネージャーなど自分の面倒を見てくれていた人たちへの支払いが苦しくなってくる。そんな様子を察して寄って来る政党関係者がいるというのです。

いざ立候補となると、候補者もそれなりのお金を出さなければなりません。タレントなら、それくらいのお金の用意はできるというわけです。

思わず、「なるほど」と思ってしまいましたが、個々のタレント候補の皆さんは真剣です。

こんな説を紹介したら怒り出すでしょうね。

実はタレントに立候補するように説得するには、それなりの技が必要です。たとえば、次のような口説き文句が有効だというのです。

「世の中には、苦しい生活をしている人が大勢いる。でも、この人たちは、世間に窮状を訴える手段を持っていない。あなたはタレントとして多くの人に知られている。そんなあなたが国会に出て、困っている人の声を代弁したらどうですか。世の中変わりますよ」

こんな風に説得されたら、心が動く人もいるでしょう。実は私もかつては、こんな言い方で口説かれたことがあります。「私は選挙には出ません。選挙特番に出ます」と言って断りましたが、なるほど、これなら説得される人が出るわけだと納得しました。多くのタレントさんが、こうして決断したのでしょう。

「これが最後のご奉公ですよ」という決め台詞も有効なようです。

でも、タレント候補にもリスクがあります。もし落選したら、タレント活動に復帰したところで、大して仕事があるわけではないでしょう。特定の政党の色がついてしまって、放送局は声をかけづらくなるというわけです。

また、もし当選しても大変です。たとえば参議院の任期は六年。いざ国会議員になっても、よほどの〝活躍〟でもしない限り、テレビで取り上げられることはなくなります。六年後に再び立候補したところで、六年間のブランクは大きく、大量得票とはいきません。落選のリスクが高まるのです。

こう考えると、タレント候補の皆さんも、それなりにリスクを背負って選挙に出たことがわかります。

現議員が受けたら何人が合格？

とはいえ、いざ選挙戦が始まると、政治についての基礎的知識が欠落しているために戸惑う人も出てきます。

「知識のないタレントを引っ張り出していいんですか？」と、ある政党の関係者に聞いてみたら、「一芸に秀でた人は、ほかの分野でも活躍できるんです」との答え。なるほど、これにも一理ありますね。

「資格検定試験」はいかが？

今回の参議院選挙が終わった後、ある大学の学生から質問を受けました。「政治のことを何にも知らないタレントが立候補するのを規制することはできないんでしょうか」と。

　残念ながら、いまの制度では、そんなことはできないんだよ。でも、たとえば「立候補資格検定試験」のようなものを作るといいかもね、と答えて、学生と意気投合しました。選挙に立候補したければ、事前に選挙管理委員会に登録する。すると、政治についての簡単な学科試験を受けなければならない。これに受かって初めて立候補できる。その候補が当選するかどうか、あとは有権者の判断に任せよう。

　こんな制度は面白いですよね。「簡単な学科試験」には何がいいか。ここは日本国憲法に関する試験問題でいいのではないでしょうか。国会議員になれば、憲法擁護義務が発生するからです。

「第九十九条　天皇又は摂政及び国務大臣、国会議員、裁判官その他の公務員は、この憲法を尊重し擁護する義務を負ふ」

　さて、さて。こんな規定があるのを、国会議員の皆さんのどれだけがご存知か。もちろん憲法を改正しようと主張することも自由ですが、改正されるまでは、いまの憲法を「尊重し擁護する」ことが求められているのです。

　それにしても、今回も相変わらず若者の投票率は低いままでした。なぜ投票しないのか。いろんな理由があるにせよ、こんな意見を聞いたことがあります。

「選挙や立候補者についての知識がないので、正しい選択ができないからだ」

選挙でいい加減な投票はできないと思っているのですね。これは立派な考えですが、では、「正しい選択」とは何でしょうか。

そもそも、そんな選択が誰にできるのでしょうか。「正しい選択」ができていたら、こんなにタレント候補が当選するわけがない……。おっと、これはタレント議員に失礼ですね。

でも、大人たちだって、「これが正しい選択だ」と胸を張って投票しているわけではないんですよ。「誰に投票すべきか、ギリギリまで悩んだ」こういう悩みを持った人は多いのです。とても「正しい選択」をしたとは言えないと自覚しているのです。

でも、そうやって試行錯誤をしながら大勢が投票することによって、日本の政治は動いているのです。

「池上さんは、投票する人をどうやって決めていますか?」とよく聞かれます。そこで私は、こう答えています。

「この人がいい、と決断できればいいけれど、大概は誰にするか悩んでいる。そこで、悩んだら消去法をとる。この人だけは当選しては困るという候補者から消していき、最終的に残った候補を選ぶ。いわば、〝よりましな候補〟を選ぶんだ」と。

40 なぜ円安が進んだか

円が安くなるメカニズムと、心配なこと

「これではハワイなんか行けない！」

こんな悲鳴も聞こえてきました。二〇二二年夏以降の円安で、海外旅行のコストが猛烈にかかるようになったからです。もちろん問題は海外旅行だけではありませんね。輸入品の価格が軒並み上がり、原油価格の上昇もあって、物価の値上がりは恐ろしいばかりです。どうしてこんなことになってしまったのか。

これが経済ニュースですと、「日米金利差の拡大に伴い、円安が進行し……」という表現になるのですが、これではわからないという人もいることでしょう。そこで今回は、基礎の基礎から見ていきましょう。

「日米金利差の拡大」とは、日本国内の金利水準がほとんどゼロなのに対し、アメリカの金利が徐々に上がっていることを指します。お金は金利の低い所から高い所に流れるもの。日本からアメリカにお金が流出し、円安になっているのです。

こうした円安は、そもそもはアベノミクスから始まりました。二〇一三年三月、日本銀行の総裁に黒田東彦氏が就任しました。当時、安倍晋三首相は、「三本の矢」を打ち出しました。「大胆な金融政策、機動的な財政政策、民間投資を喚起する成長戦略の三つです。このうちの「大胆な金融政策」を打ち出したのが黒田日銀でした。これまでの常識を覆すような金融緩和策で急激な円安が進んだのです。

金融緩和とは、金利水準を低くすること。日本経済が不況のとき、日銀は金利を引き下げます。金利が低くなれば、企業は新しい事業を始めるために必要な資金を借りやすくなりますし、個人も住宅ローンを借りやすくなります。こうすれば、景気が回復するだろうというわけです。日本の金利水準は、民間の銀行同士の資金の貸し借りの際の金利で決まります。そこで日銀は、これを低くしようとしたのです。

具体的にはどうするのか。日銀が、民間銀行が持っている国債を大量に買い上げたのです。私たちが銀行に預けたお金は、銀行が大事に金庫にしまっているわけではありません。企業に貸し出したり、政府が発行した国債を買ったりしているため、ふだん金庫に多額の資金があるわけではありません。そんな状態の中で大口預金者が「明日、多額の資金を引き出す」と通知してきたら、銀行はどうするでしょうか。とりあえず他の銀行に「金を貸してくれ」と声をかけるのです。これを受けて、他の銀行が資金を貸します。このやりとりが行われているのが「コール市場」です。声をかける、つまりコールするので、この名があります。

このとき、ほかの銀行にも資金の余裕がないと、借りるときの金利は高くなります。でも、多くの銀行が多額の現金を持っていれば、気軽に貸してくれますから、金利は低くなります。そこで日銀は、民間の銀行が保有している国債を買い上げて、現金を支払います。こうすれば銀行に現金が入り、コール市場の金利水準は下がるというわけです。

金融緩和は円安を招く

日銀の黒田総裁は、これまでの日銀の常識を超える量の国債を買い上げたのです。これで金利水準をほとんどゼロにしてしまいました。

ここで、多額の資金を動かして利益を上げようとしている投資家の立場になってみてください。日本の円を持っていても資金は増えませんが、日本より金利の高いアメリカのドルに両替しておけば、資金を増やすチャンスは増えます。

実際には、そんなにうまくいかないのですが、投資家たちは、「資金は金利の低い所から高い所に流れる」という常識を持っているので、「これから多くの投資家が、円をドルに両替する動きに出るのではないか。そうなれば円安ドル高になるだろう。だったら、その前に円をドルに替えておこう」という行動に出ます。その結果、円安が進行するのです。

二〇一三年に円安が進行した時は、輸出産業には有利に働きました。たとえば一ドルが一〇〇円ですと、一万ドルの商品を輸出すれば一〇〇〇万円の収入になりますが、一ドルが一二〇円になれば、一二〇〇万円の収入になります。こうして輸出産業を中心に景気が回復し始めたのです。このあたりは、いわば「良い円安」でした。

「良い円安」と「悪い円安」がある

しかし現在、コロナ禍が収まってくると事情が急変します。アメリカは日本と違って、ほとんどの人はマスクをしなくなり、経済活動が再開しました。急激に景気が回復した結果、物価が上昇し、インフレが進行します。これに慌てたアメリカの中央銀行であるFRB(連邦準備制度理事会)は、インフレ退治のために金利を連続して引き上げ始めます。

金利が上昇すれば、お金が借りにくくなり、過熱した景気にブレーキがかかるからです。

その結果、「日米の金利差」が大きく広がるようになり、円をドルに両替する、つまり「円売りドル買い」が進行し、円安が進んだのです。これだけ円安が進めば、海外からの輸入品の値段が上がります。たとえば一ドルが一二〇円から一四〇円になれば、一万ドルの商品を輸入するために支払う金額は一二〇万円から一四〇万円に跳ね上がります。いわば「悪い円安」です。

しかし、日銀の黒田総裁は、「円安が経済にプラスとなる基本的な構図は変わっていない」と言い続けました。これを聞いた投資家たちは、「日銀はいまの方針を変えるつもりはないのだな」と考え、安心して円売りドル買いを続けたというわけです。

ここで心配なのは、一般の国民が円売りドル買いを始めるかもしれないということです。「円で持っていても資産が減るばかり。ドルに替えて資産を守ろう」と多くの人が考えるようになると、円売りドル買いに歯止めがかからなくなり、円安が一層進んでしまう恐れがあります。黒田総裁に代わって総裁になった植田和男氏は、どうするのでしょうか。

41

「円買いドル売り」どうやるの?

政府ができる為替介入とその限界

急激に進む円安。これに対し、〈政府・日銀は22日、1998年6月以来、約24年ぶりとなる円買い・ドル売りの為替介入に踏み切った〉(日本経済新聞二〇二二年九月二二日電子版)

これで一時的ではありますが、円安に歯止めがかかりました。この「円買いドル売り」とは、具体的にどんなことをしたのでしょうか。

まずは、当日の動きを振り返ってみましょう。この日は日本銀行が、今後の金利水準の目標を決める「金融政策決定会合」を開き、大規模な金融緩和策を維持する方針を決めました。これを受けて日銀の黒田東彦総裁は記者会見。

〈金融政策を見直す可能性について問われた黒田総裁は「当面、金利を引き上げることはない」と断言。「必要な時点まで金融緩和を継続する。必要があればちゅうちょなく追加的な金融緩和措置を講じる」と強調した〉(同前、同日の別記事)

この頃の円安進行は、アメリカの中央銀行であるFRB(連邦準備制度理事会)が金利水準を徐々に引き上げているのに対し、日銀が金利を低いままに据え置いていることで起きました。日本円を持ったままでは金利がほとんどゼロですから増やす機会が限られます。でも、アメリカのドルに替えておけば、お金を増やすチャンスは広がります。

とはいえ、そんなに大きなチャンスに恵まれることは少ないのですが、資金を少しでも増やそうとしている投資家たちは、「金利がゼロの円を金利の高いドルに替える人が大勢出るだろう。そうすればドルの需要が高まってドル高になる」と考え、その前に円をドルに替えるのです。いわば思惑で動くのですね。円をドルに替えること、これが「円売りドル買い」です。

こうして円安が進みましたが、黒田総裁は「当面、金利を引き上げることはない」と断言しました。これを聞けば、投資家たちは「日米の金利の差はさらに広がるだろう。ということは、円安がさらに進む」と瞬時に考え、円売りドル買いをしたのです。この結果、〈ドル円相場は一時1ドル＝145円台と24年ぶりの安値水準まで下げた〉(同前)

黒田総裁の発言が一段の円安をもたらしました。もし「金利水準をどうするか、注意深く考える」とでも言っておけば、急な円安にはならないで済むかも知れなかったのですが、これは結果論。遂に一ドル＝一四五円台にまで円安が進んだのです。

これに対し「政府・日銀」が円買いドル売りをしました。どうして「政府・日銀」なのか。この場合、決断したのは財務大臣で、その指示にもとづいて実務を担当したのが日銀だったからです。円買いドル売りをすれば円の需要が高まり、円高に動くというわけです。

では、円買いドル売りは、どのように行われたのか。ドルを円に替えるには、それだけのドルを持っていなければなりません。日本政府は、それなりのドルをふだんから持っているのです。その財布は「外国為替資金特別会計（外為特会）」です。

円買いには外貨準備の額が制約に

この財布（外為特会）に入っているドルを売って円を買いました。これを大規模に実施したので、一気に円高になったのですね。

ちなみに、いくらなら円高で、いくらなら円安という基準はありません。前より円の価値が上がれば円高と表現するに過ぎないのです。

円を買うには、外為特会に入っているドルを使います。このドルのことを「外貨準備」といいます。日本政府は、これをどれ

時々刻々と変わる1ドルの〝値段〟

だけ持っているのか。二〇二二年八月末時点で約一兆二九〇〇億ドル（日本円にして約一八五兆円）です。つまり円買いドル売りできる金額の上限は決まっているのです。

でも、これだけの金額があれば、このドルでせっせと円を買えば、円安を食い止めることができる……と思いたいのですが、実はそう簡単なことではありません。というのも、毎日のように行われている日本の外国為替市場での一営業日当たりの平均取引高は約三七〇〇億ドルにも上っているからです（国際決済銀行による二〇一九年四月の調査時点）。この取引高にはドル以外も含まれていますが、外貨準備の金額は、この取引のわずか三日分に過ぎません。

外国為替の取引で利益を上げようとしている国内外の投資家たちは、日本政府の外貨準備額を知っていますから、政府ができることには限界があるとわかっています。

ということは、一時的には円高になったとはいえ、今後も投資家たちは円安になることを見越して円売りドル買いを仕掛けてくる可能性は十分にあります。

その一方、日本政府は一ドルが一四五円を超えたところで介入してきましたから、投資家たちは、「今後も一四五円に近づいたら政府が円買いドル売りを仕掛けてくるだろう。その前に取引をやめておいた方が無難だ」と考える可能性があります。そうなれば、円安に振れることはあっても、一四五円の壁は簡単には越えられないことになるでしょう。

ただし、日本が円買いドル売りをする場合、アメリカの承認が必要だと考えられています。特別に他国の承認など必要ないだろうと考えたくなりますが、アメリカは、「外国為替のレートは市場取引に任せ、各国が介入するのは避けるべきだ」と考えているからです。

というのも、ドル高の結果、自国通貨の価値が下がって困っている国は他にもあります。そうした国々が、日本と同じように介入すると、ドル高が進まなくなります。アメリカは、いまインフレに悩まされています。ドル高が進むと、輸入品を安く買うことができるので、インフレに歯止めがかかります。それを妨害するようなことは許せないと考えているはずです。今回は日本の判断を黙認したのかも知れませんが、今後はわからないのです。そこに着目した海外の投資家でしょうか、その後、円安は一ドル一五〇円まで進んでしまいました。

42 日銀の長期金利コントロールとは

「コール市場」と「空売り」のカラクリ

日本銀行が長期金利の上限を引き上げたというニュースが流れ、住宅ローンの金利が上がることがニュースになりました。これは、どういうことなのでしょうか。

今回のきっかけは、二〇二二年一二月に日銀が長期金利の変動幅をプラスマイナス「〇・二五％」から「〇・五％」に引き上げたことです。

これまで日銀は、景気を回復させようと、金利をほとんどゼロの状態にしてきました。金利を低くすれば、企業も人も金融機関からお金を借りやすくなります。そうなれば、企業が資金を借りて新規事業に乗り出したり、個人が住宅ローンを組んでマイホームを購入したりするのではないか。日銀は、こう考えて金利を下げていました。

でも、「日銀が金利を下げる」とは、どうやるのでしょうか。私が学生の頃は日銀が「公定歩合」を上下させていました。公定歩合とは、金融機関が日銀からお金を借りるときの金利のこと。公定歩合を下げれば、金融機関は日銀から低利で資金を借りることができ、一般に低利でお金を貸し出すことができたのです。

しかし現在は公定歩合がなくなりました。「金利は市場で自由に決められるべきだ」という考え方になったからです。とはいえ、本当に自由に決まっていたら、景気をコントロールすることができなくなります。そこで日銀は、民間の金融機関が持っている国債を売買することで金利水準を動かしてきました。このとき日銀が目標としたのは、「短期金利」の水準です。

いったいどんな方法なのか。民間の金融機関は、いつも金融機関同士でお金の貸し借りをしています。ふだん大量の現金を持たないようにしているため、たとえば大口の預金者が、「明日一〇億円を引き出すからよろしく」などと通告してきたら大変です。手元に五億円しかなければ、残り五億円を明日までに用意しなければなりません。こういうとき、他の金融機関に対し、「五億円を貸してくれ」と頼みます。このやりとりをしている場所を「コール市場」といいます。

このとき他の金融機関が五億円を持っていれば貸してくれるでしょう。でも、そんな金融機関がひとつしかなければ、足元を見て、「貸してやるけど金利は高いよ」と言うかもしれません。それでは金利が高くなってしまいます。こういうとき、日銀の出番です。日銀が、金融機関の持っている国債を買い上げるのです。民間の金融機関は、お客から集めた預金をいろんなお客に貸し出して商売するのですが、景気が悪いとお金を借りてくれるところが見つかりません。そこで仕方なく政府が発行する国債を買っているのです。

日銀がこの国債を買い上げれば、金融機関に現金が入ってきます。現金を持っている金融機関が増えれば、「お金を貸してあげるよ」というところが増え、お金を借りたい金融機関は低利で借りることができ、コール市場での金利は低下するというわけです。

長期金利は一〇年物国債の利回り

こうして短期金利を低い状態にコントロールしてきましたが、長期金利も低い状態にしなければ、景気が回復しないと日銀は考えました。長期とは一年以上の貸し借りのこと。一〇年で満期になる国債の利回りがその指標です。そこで日銀は、満期一〇年の国債を選んで民間の金融機関から買うようになりました。

ここで理解が難しいのは、売買される国債の価格が上がれば利回りが下がるという関係です。政府が発行した国債は、満期が来るまでの間に金融機関同士で売買されています。「買いたい」というところが多ければ、「需要と供給」の関係で、国債の価格は上昇します。でも、国債は満期になれば、最初に約束されているだけのお金が戻ってきます。つまり、国債価格が上昇すると、満期になってもらえるお金の差額が減ってしまいます。利子は一定だとして、売買益が減るのですから、利回りが下がります。

たとえば、満期に一〇〇万円が受け取れる国債が九八万円で売買されているとしましょう。

満期まで持っていれば売買益だけで二万円がもらえます。でも、この国債を買いたい人が増えれば、「需要と供給」の関係で売買価格が九九万円になるかもしれません。すると満期にもらえる金額は一万円。売買益が減ります。つまり利回りが下がったのです。

住宅ローンとマイホーム問題は日本人の悩みの種

日銀は一〇年満期の国債を大量に買うことで売買価格を上げ、利回りを低く抑えてきたのです。

その結果、一〇年満期の国債だけが利回りが低い状態が続いてきました。この歪みに目をつけたのが、海外の投資ファンドです。投資ファンドとは、金持ちから多額のお金を預かって運用し、利益を追求する組織。「日銀が一〇年満期の国債ばかりを買うことがいつまでも続けられるわけはない」と考え、一〇年満期の国債を大量に「空売り」したのです。

さあ、また理解しづらい言葉が出てきました。「空売り」とは、持っていないものを売ること。そんなことができるのか。投資ファンドは、国債を長期に保有している金融機関から国債を借り、それを売ってしまうのです。大量に売りが出れば、「需要と供給」の関係で、売買価格は下がります。下がったところで国債を買い戻し、借りていた金融機関に手数料を払って返すのです。

普通の取引では、安く買って高く売ることで利益を得ますが、空売りは、高い値段で売って低い値段で買い戻すことで、結局は差額をもうけることができるというわけです。

売買価格が下がれば利回りが上がります。長期金利も上昇したため、困った日銀は、長期金利の目標の幅を「〇・五％」に引き上げたのです。

これにより国債の売買価格が下がり、投資ファンドは多額のもうけを手にしました。長期金利が上がれば、住宅ローンの固定金利も上がります。マイホームを買う人たちの負担が増えることになったのです。

43

日銀総裁人事情報で為替が動く

植田新総裁誕生前、別人に「打診」報道

二〇二三年二月一〇日、政府は次期日本銀行総裁に元日銀審議委員で経済学者の植田和男氏を起用する意向を固めたと報じられました。途端に外国為替市場で円高が進みました。日銀総裁の人事情報で為替市場が動く。二月六日にも、日本経済新聞の記事が市場を揺らしていました。次の記事が掲載されたのです。

「政府が日銀の黒田東彦総裁(78)の後任人事について雨宮正佳副総裁(67)に就任を打診したことが5日わかった」(日経新聞電子版二月六日午前二時配信)

その結果、何が起きたのか。六日の外国為替市場では急激な円安ドル高が進み、日経平均株価の上げ幅は一時三〇〇円を超えたのです。

黒田総裁の任期は四月八日まで。そこで後任人事を決めなければならないので、人選に関心が集まっていました。さすが経済に強い日経新聞……と、見えましたが、わずか四日後に逆転人事となりました。

黒田氏は、安倍晋三元首相の肝いりで日銀総裁に就任し、異次元の金融緩和を進めてきました。アベノミクスを推進したのです。

それにより急激な円安が進み、輸出産業は息を吹き返しました。景気回復に一定の効果があったと評価されています。

しかし、デフレからの脱却にはつながらないまま金融緩和が続き、金利は低く抑えられてきました。

その間にアメリカは景気が回復してインフレが進んだため、アメリカの中央銀行であるFRB（連邦準備制度理事会）は、金利を引き上げてインフレに歯止めをかけようとしてきました。金利が上がれば、企業や個人が借りた資金を返済する際に払う利子が増えますから、従前のように気軽にお金を借りることがためらわれます。結果として「お金を借りて新しい事業を始める」という動きにブレーキがかかり、好景気に冷や水を浴びせます。するとインフレに歯止めがかかるというわけです。

こうしてアメリカの金利はどんどん上がるのに、日本の金利は上がりません。そうなれば、海外の投資家は、日本の金融機関で円を借り、それをドルに両替するという動きに出ます。これが「円売りドル買い」と呼ばれるものです。

円が大量に売りに出されますから、円の価値は低下。こうして円安が続いてきました。

円安が進めば、海外から輸入する商品も石油価格も値上がりします。私たちは物価高に悩むことになったのです。そこで、岸田文雄首相は、低金利路線を修正する必要があると考えるようになったようです。円安路線を推進してきた黒田総裁の任期が切れるのを機会に、金融緩和を修正しようというわけです。これは、いわゆるアベノミクスからの離脱を意味します。安倍元首相が亡くなったことで、アベノミクスを否定しやすくなったというわけです。

それでは誰を日銀の総裁にするべきか。そこで雨宮氏の名前が浮上したというわけです。

新総裁の人事情報で為替が動いた

異次元の金融緩和をどうするか

実は雨宮氏に関しては、以前にも総裁就任の打診があったものの、本人が固辞したという情報が流れていました。真偽のほどはわかりませんが、もしその通りだとすれば、日経新聞に報じさせることで雨宮氏の退路を断ち、承諾させようとしたのではないかと思ったのです。根拠のない推測ですが。

日経新聞の記事は「就任を打診」となっています。打診した結果について報じていませんから、「やっぱり……」と憶測を呼んだのです。

雨宮氏浮上のニュースが、なぜ円安ドル高につながるのか。それは雨宮氏が黒田総裁の路線を引き継ぐのではないかという観測からです。

雨宮氏は日銀の中で金融政策を進める部署を中心に勤務してきました。黒田総裁は、もともと財務省出身で、日銀の人ではありません。そこで日銀の雨宮氏が副総裁として黒田総裁を支えてきました。

黒田総裁を支えてきた人物ならば、今後も黒田路線を引き継いで金融緩和を続けるだろう。ということは、円安傾向が続くことになる。安心して円売りドル買いを進めよう。こんな発想から円安が進んだのです。

これからの日銀を統率するのは大変です。円安に歯止めをかけるためには、どこかの時点で低金利路線に終止符を打たなくてはなりません。これが「日銀の出口戦略」と呼ばれるものです。

これまで日銀は、政府が発行した大量の国債を購入してきました。政府も「国債は最終的には日銀が購入してくれるから、低い金利でも発行できる」と安心していました。

しかし、金利が上昇すれば、国債の金利も上昇します。それだけ政府の金利負担が重くなり、財政状態は一段と悪化します。それがわかっているのですから、責任重大。喜んで日銀総裁の座を受ける人は、なかなかいないのでしょう。さて、雨宮氏は受けるのか……と思っていたところ、植田氏になったのです。

岸田首相は、前から植田氏の起用を考えていたのか。それとも雨宮氏が固辞したから植田氏にしたのか。そうなら植田氏に失礼な話です。

植田氏に決まったというニュースが流れた直後、日経新聞は、次のように書きました。

「10年続いた異次元緩和政策の検証が、次期総裁の最初の役割となる。雨宮副総裁は黒田体制下で金融政策運営を事実上取り仕切ってきた自分はふさわしくないと就任を固辞した。金融政策に深い知識と経験を持ち、より中立的な立場で政策の検証と修正に取り組める植田氏に白羽の矢が立った」(日経新聞電子版二月一〇日一八時五一分更新)

六日の自社の報道を巧みに修正しています。「中立的な立場で政策の検証と修正に取り組める」人だから、金融緩和策に修正が加えられ、円安基調が終わるかも。この憶測で円高に動いたのです。

特別対談 ③

柄谷行人

「世界は『交換』でわかる」

哲学者

「戦争が起こるだろう」と、近年のインタビューでたびたび指摘していた柄谷氏の目に、世界はどう映っているのか。「哲学のノーベル賞」をアジア圏で初受賞した直後、「交換様式」というキーワードを軸に読み解いてもらった。

からたにこうじん／1941年生まれ。哲学者。69年「〈意識〉と〈自然〉――漱石試論」で群像新人賞受賞、文芸批評家デビュー。78年『マルクスその可能性の中心』で亀井勝一郎賞。著書に『トランスクリティーク』『世界史の構造』など

池上　このたび「哲学のノーベル賞」と呼ばれる「バーグルエン哲学・文化賞」をアジア圏で初めて受賞されました。おめでとうございます。

柄谷　ありがとうございます。

池上　アメリカのシンクタンク「バーグルエン研究所」が毎年授与している賞で、一〇〇万ドル（約一億三〇〇〇万円）という賞金額にビックリしました。下世話な発想ですけど（笑）。

柄谷　誰でも驚きますよ。

池上　授賞理由は「現代哲学、哲学史、政治思想に対する極めて独創的な貢献」「混迷するグローバル資本主義と民主主義国家の危機、めったに自己批判が伴うことのないナショナリズムの復活といういまの時代において、その作品は特に重要である」。この評価についてはいかがですか。

柄谷　正しいとは思うけど（笑）、海外では、僕のことは一部の人が知っているだけで、華やかな存在ではない。ただ僕の本は英語で八冊訳されていますが、東アジアではもっと多く翻訳され、トルコ、旧ユーゴ圏やラテンアメリカ諸国からも講演に呼ばれました。だから一定程度は読まれてきたと思いますが、最近その桁が違ってきた感じがして、ちょっと驚いてもいます。

池上　本家のノーベル賞は三〇年くらい前の研究が授賞の対象ですけど、こちらはそうではありませんね。

柄谷　はい。ノーベル賞ならもう終わった人だということになっちゃうけど、僕は先端だと思っています。

池上　柄谷さんは近年、インタビューで、「戦争が起こるだろう」とたびたび指摘されていましたね。

柄谷　今世紀に入ってから、遠からず戦争になるだろうと思っていました。ソ連が崩壊したとき、「歴史の終わり」だと言われたけど、僕が考えたのは、歴史は繰り返すということ。資本、ネーション（国民）、国家が残っている以上、歴史に終焉はなく、反復があるだけです。実際一九九〇年代以後の世界史は別に新しいものではなく、二度の世界大戦までの帝国主義の時代の反復でしかありません。それに、ソ連が負ける前にアメリカが負けています。アメリカは「新自由主義」を唱えた。しかしそれは「新帝国主義」というべきものです。自由主義というのは、もっと余裕があるものだった。九〇年代以降は、米ソどちらも資本主義になっただけ。

池上　中国を見ても、資本主義的な発展は、さまざまな矛盾や行き詰まりを生んでいます。

柄谷　僕は、中国を社会主義と呼びません。ベルリンの壁崩壊が、社会主義の崩壊だったとも思いません。

池上　過去に一度たりとも、社会主義が成立したことはなかったということですか。

柄谷　そうです。

池上　反復だとすれば、また社会主義的な何かが出てくるんでしょうか。

柄谷　出てこないでしょうね、同じ発想でやっている限り。

池上　柄谷さんが去る二〇二二年一〇月に出版された『力と交換様式』は四二八ページの大著ですが、よく読まれています。世界の社会構成体の歴史を、「交換様式」とその観念的な「力」という観点から捉え直すことがテーマですね。

柄谷　交換様式は僕が言い出した概念ですが、マルクスから得た考えです。ただしマルクス主義（＝史的唯物論）ではなく、もっぱら『資本論』からです。僕は大学に入って、「史的唯物論ではなく『資本論』が重要」という宇野弘蔵を一番読んだ。だから、史的唯物論など他のマルクス主義の常識については初めからカッコに入れていたんです。

池上　私の学生時代もマルクス経済学か、マルクス主義経済学かという議論がありました。前者はあくまで経済学としての学問で、後者は日本共産党的なイデオロギーを含んだ意味になる。

まさにコペルニクス的転回

柄谷　ところが、僕はそのどちらにも入らなかった。経済学部では宇野学派の教授たちの講義を受けたというより、試験を受けました。しかし、『資本論』の問題は経済学ではできない、限界があると思った。それを別の観点から考えようと、大学院の哲学科へ行こうか仏文科へ行こうかと思って迷ったあげく、一年留年して、英文科に進みました。そして文芸批評を始め、二七歳で群像新人賞をもらって、批評家になった。ただ、三〇歳を越えた頃、『マルクスその可能性の中心』という論文を書いた。「可能性の中心」は中心ではなく、周辺や隅など目に入らないところにある。経済学ではなく、言語学的な次元から、いわゆるマルクス主義にはないような何かを考えたわけです。

池上　なるほど。『資本論』を悪戦苦闘して読んだ私は、どうしても「生産様式」ということで見てしまいます。マルクス主義には「生産様式」という考え方がある。それは、生産力と生産関係からなるもので「経済的下部構造」と呼ばれ、国家・宗教・芸術などの「上部構造」を規定すると考えられています。

柄谷　実はマルクスは『資本論』で、貨幣や資本の問題について、生産ではなく交換という次元から捉えています。商品と商品の交換から、貨幣や資本が生まれてくると考えた。

池上　そこで柄谷さんは「生産様式から交換様式へ」の移行を提唱されているわけですね。これまで私たちが何となく信じていた常識をひっくり返すような、まさにコペルニクス的転回です。

柄谷　交換様式の考え方がちょっとわかれば、こんなに簡単な理解があり得たのかと思うはずですよ。

池上　その交換様式には四つの種類がある、というのが柄谷さんの考えです。

A＝互酬（贈与と返礼）
B＝服従と保護（略取と再分配）
C＝商品交換（貨幣と商品）
D＝Aの高次元での回復

これらの交換様式は同時に存在していて、競争したり相互に支え合ったりする。歴史的には、どの様式が支配的かによって、社会のありようが決まる、ということですね。

柄谷　氏族社会のような社会構成体は、三つの掟で成り立っています。贈与しなければならない、贈与を受け取らねばならない、お返しをしなければならない。その掟に従わざるをえないような「呪力」がある。

池上　交換様式Aですね。

柄谷　そうです。氏族社会のあとに生まれた国家社会では、服従すれば保護を受けられるという交換が行われました。被支配者を保護できなければ、支配者はその地位にある資格を失います。そこには暴力とは異なる「政治的権力」が生まれます。

池上　それが交換様式Bですね。

資本主義が存続しているのは

柄谷　はい。Bの支配下で、共同体間の交易から新都市が興隆して、Cが拡大します。資本制社会です。Cは単なる商品交換に見えますが、ここにも観念的な力が存在します。「信用」と呼ばれるものです。マルクスは、こうした力を「フェティシュ（物神）」と呼びました。

僕は、『資本論』の要は交換による力だ、と考えました。感覚的・物理的な力ではなく、観念的・宗教的な力であって、どの交換から来るかによって形が違ってきます。それは人間の願望や意志による想像物ではなく、逆に人間を強いる力を持ちます。それは「物神」と言うほかないような力です。しかし貨幣物神などという発想は、マルクス主義者の間では、まじめに受けとめられなかった。たんに冗談として扱われています。

池上　なぜここで、物神が出てくるのか、と。

柄谷　はい。しかし、マルクスは、このとき、国家の力を海の怪獣リヴァイアサンとして見たホッブズにみならったのです。それはBから生じる観念的な力です。その後、Cが発展するとともに、Bも拡大して、世界帝国が形成されていき、Aも共同体として残ります。Cが発展した近代の社会では、A・B・Cの結合体が形成され、資本＝ネーション＝国家という形をとるわけです。

池上　そこまでのことを解き明かされたのが、二〇一〇年の前著『世界史の構造』でした。その続きとなる『力と交換様式』は、交換様式Dのさらなる探究でもあります。ところが、Dは、個人の独立性と平等が担保された未来社会の原理で、いまだに存在していない、と述べられています。

柄谷　Dは、Cが支配的な資本主義社会の後に出現します。そこに現れるのは、資本＝ネーション＝国家に対抗しうる力です。それがDです。そして、それを見るのが「科学」だといってもよい。しかし、現在の「科学」は、技術（生産力）しか見ていない。

池上　東西冷戦が終わって新自由主義が跋扈していく中で、交換様式という視点から改めて世界を分析し直す意義は、どこにあるんでしょう？

柄谷　交換から生じるさまざまな「力」に、注目すべきです。資本主義が存続しているのは、物神が強いからです。国家が残っているのも、リヴァイアサンがいるからです。この怪獣には静かに眠っていただかなければいけないのに、国家を使って資本物神を倒そうとすれば、怪獣が残るに決まっています。

池上　スターリンが始めたマルクス・レーニン主義だと、国家が大切だという話に行き着いてしまいます。そこで、マルクス・レーニン主義ではないマルクスを再検討しようという動きが出ていますね。斎藤幸平さんの『人新世の「資本論」』も、よく読まれています。

柄谷　それはいいのですが、ただ、環境問題をいう人は概して国家の力でそれを解決しようとしがちです。しかし、本来は国家の力で解決するような問題ではありません。

最近ちょっと面白いと思っているのは、都会から縁《えん》も所縁《ゆかり》もない農村へ引っ越して、農業を始める人がいること。

池上　コロナ禍もあって、地方へ移住する人は増えていますね。

柄谷　友人の鈴木忠志がやっているSCOTという劇団が、富山県の利賀《とが》村を拠点にしていて、この夏何年かぶりに公演を観に行ったんですよ。利賀村の人口は、激減しているんですが、コロナ禍で、SCOTの人たちが演劇をやりつつ農業を始め、農業をやって暮らしていく人をつのろうとしているんです。

池上　利賀村は、ある種の村おこし的に演劇を誘致していましたよね。

柄谷　「道の駅」の物販で「地産地消」を謳っているのも面白いし、各地でそういう状態が出てきたんじゃないでしょうか。二〇世紀の日本にあった田舎から都会へ出るという通念は、もう壊れているんだと思います。それは僕の見たところ、新しい感じがします。

しかし、こういう変化が何を意味しているのかは、交換様式から見なければわからない。Cから見たら儲からないし、経済的に成り立たないこともあるでしょうけど、多くの人が新たに農村を作ろうとしている。以前はCを求めていた人たちが、今やAを実現しようとしているんです。そこに新しい交換様式が成立していることは、未来に展望を与えていると思います。

新しい共同体が生まれる予感

池上　その交換様式Aに、Dに発展する萌芽があるとご覧になっていますか。

柄谷　そう言うと必ず、Dに発展させようとして「じゃあ国家の力で」となっちゃうわけです。だから、むしろ発展しないほうがいい。

池上　たとえば、イスラエルには、生産的自力労働、集団責任、身分の平等、機会均等という四大原則に基づいて集団生活を送る農業共同体「キブツ」がありますね。柄谷さんはキブツをどう捉えていますか。

柄谷　キブツは指向性としてはAでしょう。
池上　キブツがつながっていくと、Dになりますか。
柄谷　なりません。
池上「ABCは人間がやっているけれども、Dは人間がやるんじゃない。向こうから来る」という言い方をされていますね。
柄谷　そう言うしかないわけです（笑）。できるのはAの運動を広げていくことですが、無理に広げてはいけません。
池上　では我々は、どうすればいいんでしょうか。
柄谷　僕は今度の本でDとAについて強調しましたけど、こうしろとかああしろとか言っているわけじゃありません。Aを実行することは勧めますが、政策としてそうするわけではない。Dは向こうから来ると思っていればいいんですよ。Aは、田舎に行って農業を始めようと考える人が出てきたのと同じように、徐々に浸透していくんだと思います。むろん、それでは現に働いている国家や資本に対抗できません。しかし、少なくとも、国家や資本に巻き込まれないです む。
池上　Dに基づいた交換関係を実現するのが、あるべき社会主義だということですね。それは世の中から自然に、ふつふつと湧き出てくると。
柄谷　そこから、新しい共同体が生まれる予感がします。ただしその前に、ものすごくひどい時期を通過せざるを得ないだろうと思うんですよ。つまり、戦争です。そして、それは長く続く。自分の生きている間はどうしようもないだろうから、そのことは言う気にならないんです。

池上　現代世界がどうなっているのかを知りたいという思いは、誰にでもあります。昔はマルクス・レーニン主義、あるいは唯物史観などでいろんなことを解釈していた。その言説が次々に崩れていってしまう中で「そうか、こういうかたちで世界を分析するというやり方があるのか」と、柄谷さんの本が受け入れられているんじゃないかと私は思います。

柄谷　人がどう思うかはあまり考えてないんですけどね。僕自身は、以前から気になっているのが、エマニュエル・トッドです。奇妙に、考え方が似ていたからです。家族様式の観点から世界史を見るという彼の考え方が交換様式とどうつながるか、検討したことがあります。彼の考えには、不十分なものも多く、本当はもっと交換様式のほうに行かなきゃ駄目ですよ、と言いたいけど……。

池上　厳しいですね（笑）。

柄谷　自分と似た感じがあるんですよ。僕は、帝国の中心でも周辺でもない、どっちにも属さない中間領域を「亜周辺」と呼んでいます。その代表はギリシャ、ローマ、ゲルマンで、日本もそう。トッドはそのような亜周辺を、家族の形態から見ようとしているのだろうと思います。

池上　帝国の話が出ましたが、ロシアによるウクライナへの軍事侵攻をどう見ていらっしゃいますか。

柄谷　実は、あなたの『聖書がわかれば世界が見える』という本を読んで、学びました。僕もそうですけど、日本人はウクライナのことを知りません。ロシア正教のルーツは、ロシアではなくウクライナだったんですね。

池上　かつてのキエフ公国です。

柄谷　そここそがロシア正教だという観点に、啓蒙されました。

池上　恐縮です。しかし失礼ながら、これだけの大著を書き下ろす体力はすごいですね。

柄谷　しかし、体力というよりもむしろ知力が衰えて、時間がかかりました。ずっと前から材料は出揃っていたのに、整然とまとめることができなかったんです。自分が過去に何を書いていたのか、思い出せないから非常に困ります。池上さんは何歳？

池上　七二です。

多摩丘陵が新しく見えてきた

柄谷　まだ若いよ。僕は八一だから。その年の頃は若かったね（笑）。

池上　普段、どういう生活をしていらっしゃるんですか。

柄谷　大学で教えるのを辞めてから机にへばりつく生活になり、コロナ禍でますますひどくなったんです。あとは、毎日散歩をします。二、三時間歩くこともあります。それで不思議なことに気が付いたんですよ。僕は多摩ニュータウンの一角に住んでいますが、散歩で歩いているのは、かつて柳田國男が盛んに歩き回っていたところ。そんなことで、多摩丘陵自体が自分にとって新しく見えてきました。

池上　柳田國男が歩いた辺りを歩いていると、向こうから何かやって来ますか。

柄谷　そんな感じが確かにします。柳田は、たんに日本の問題として民俗学を考えていたわけじゃありません。彼は国際連盟で働いたりエスペラントを学んだりして、太平洋の島々全体のことを考えていたんです。日本は、そのひとつの例でした。日本は、中華というべき帝国と、周辺にある朝鮮半島に対して、さらに外にある亜周辺ですから。

池上　夷狄《いてき》のレベルですね。

柄谷　柳田國男は、そういうことを研究した人だと思います。今後書くとしたら、そういう問題かな。

池上　いわば、柳田民俗学の現代版ですか。

柄谷　ここで先に言っちゃったらまずいんだけど（笑）。

池上　柄谷さんの学問がこの先どこへ行くのか、読者としてはぜひ知りたいですからね。

（二〇二三年一月五・一二日号掲載／構成・石井謙一郎）

カバー写真　志水隆
イラスト　3rdeye

装丁　征矢武
DTP　明昌堂
写真協力　時事通信
文藝春秋写真資料室

本書は、「週刊文春」に連載した「池上彰のそこからですか!?」（2021年4月22日号〜2023年3月9日号）と「文春オンライン」に掲載した「池上さんに聞いてみた」を大幅に加筆、修正したものです。データや肩書き等は連載当時のものもあります。

池上 彰（いけがみ・あきら）

1950年8月9日、長野県生まれ。慶應義塾大学経済学部卒業後、73年にNHK入局。記者やキャスターを歴任する。94年から11年間にわたり「週刊こどもニュース」のお父さん役を務め、わかりやすい解説が話題に。2005年、NHK退職。以降、フリージャーナリストとして、テレビ、新聞、雑誌、書籍、YouTubeなど幅広いメディアで活躍中。16年から名城大学教授、東京工業大学特命教授を務め、現在9つの大学で教鞭を執る。近著に『一気にわかる！池上彰の世界情勢2023　世界に広がるウクライナ戦争の影響編』（毎日新聞出版）、『今を生き抜くための池上式ファクト46』、『独裁者プーチンはなぜ暴挙に走ったか』（文藝春秋）など

池《いけ》上《がみ》彰《あきら》の「世《せ》界《かい》そこからですか!?」
ニュースがわかる戦《せん》争《そう》・国《こっ》家《か》の核《かく》心《しん》解《かい》説《せつ》43

2023年5月30日　第1刷発行

著　者　池《いけ》上《がみ》 彰《あきら》

発行者　小田慶郎

発行所　株式会社 文藝春秋

〒102-8008　東京都千代田区紀尾井町3-23
電話　03-3265-1211（代表）

印刷所　凸版印刷
製本所　凸版印刷

定価はカバーに表示してあります。
万一、落丁乱丁の場合は送料当社負担でお取り替え致します。
小社製作部宛お送り下さい。

ISBN978-4-16-391702-3